JN103606

世界の視点を読む ニュース英語入門

2023

Expand your perspective,
expand your English

倉林秀男［解説］

the japan times 出版

音声のご利用方法 🔊

英文記事の読み上げ音声をご利用いただけます。

スマートフォン

1. ジャパンタイムズ出版の音声アプリ
   「OTO Navi」をインストール

2. アプリ内で本書を検索

3. 音声をダウンロードし、再生

   3秒早送り・早戻し、繰り返し再生などの
   便利機能つき。学習にお役立てください。

パソコン

1. ブラウザからジャパンタイムズ出版のサイト
   「BOOK CLUB」にアクセス

   https://bookclub.japantimes.co.jp/book/b635421.html

2. 「ダウンロード」ボタンをクリック

3. 音声をダウンロードし、iTunes などに取り込んで再生

   ※音声は zip ファイルを展開（解凍）してご利用ください。

はじめに

　英字新聞を読むというのはなんだかハードルが高く、「まだ英語力が十分でないから、英字新聞はやめておこう」とか「英字新聞は難しそうだから」、「毎日読めるか心配」などと言いながら、後回しにしてきませんでしたか。かくいう私もかつて英字新聞を契約していて、読めずにたまっていくようなことがありました。ですが、The Japan Times Alpha（以後、Alpha）を使って興味のある記事だけを読むようにしているうちに、気づけば長い間継続できるようになりました。Alpha の英文記事は見出しと短い段落だけで構成されています。ですので、手軽に、ちょっとした隙間時間で読めてしまうのです。

　英字新聞の内容がうまく頭に入ってこないという人は、知らない単語につまずく場合もあるでしょうが、最初の段落がちゃんと読み込めていないのかもしれません。最初の段落には、記事全体の内容が端的にまとめられています。この部分の内容をしっかり把握できれば、それ以降の内容も頭に入ってきやすくなります。

　本書は、Alpha に掲載された海外と日本の通信社やメディアの配信記事を使い、「英字新聞の見出しと最初の段落に慣れる」ことを目標としました。特に、最初の段落に慣れるための読解のポイントを示しています。読み進めながら語彙や表現にも習熟できるような配慮もしましたので、記事の英文を題材に、ぜひさまざまな角度から学習を進めてください。

倉林秀男

目次 Contents [2023]

January 〔1月〕

February 〔2月〕

March

April

May

5月

June

6月

July

August

September　9月

October　10月

November

カバー・本文デザイン：三森健太（JUNGLE）
DTP：奥田直子
編集協力：大塚智美
英文校閲：Claude Batmanghelidj
ナレーター：Jack Merluzzi、Emma Howard

本書の構成

本書は、週刊英語学習紙 The Japan Times Alpha に掲載された各通信社・メディアの記事を厳選・抜粋し、解説とともに載せています。

January   🔲 Track 001

レベル
英文の構造や語彙の難度で、3段階にレベル分けしています。

Komazawa completes ekiden title sweep with Hakone win

— Kyodo, 2023.1.3

記事
ヘッドライン（見出し）と記事の英文です。共同通信、ロイター、AP、AFP-Jiji、The Japan Times の記事を掲載しています。解説の言及箇所には下線を引き、語注をつけた語句は太字にしています。

Komazawa University held on to its **overnight** lead in the Tokyo-Hakone **collegiate** ekiden road relay for the second time in three years and eighth overall.

Komazawa became the fifth school to sweep collegiate ekiden's three major titles in a season, having won the Izumo Ekiden in October and the national championship in November. (57 words)

□ **complete** ～を完了する
□ **overnight** 前日からの
□ **sweep** 全勝 ★大学駅伝三冠のこと。第2段落の sweep は動詞で「～を全勝する」
□ **collegiate** 大学生の

語注
ややレベルの高い、覚えておきたい単語・表現を載せています。必要なものには補足説明を加えています。

Check

hold on to[onto] ~ ～を離さない、しがみつく

hold は「～を持つ」という意味ですが、hold on to には「しっかりと握って離さない」というニュアンスがあります。ここでは、駅伝の往路で手にした1位の座を復路でも決して譲らなかったということを hold on to its overnight lead と表しています。

Check
語彙やヘッドラインを深掘りする解説です。巻頭の「ニュース英語の特徴」もぜひチェックを。

10

スポーツ

ジャンル

国際、社会、科学・技術、文化、スポーツなど、その記事のジャンルを掲載しています。

駒澤大が箱根駅伝を制し、大学駅伝三冠達成

　駒澤大学は前日からのリードを守り、1月3日の東京で大学駅伝競走で優勝した。3年間で2回目、全体では8回目の優勝となる。

　駒澤大学は、10月の出雲駅伝、11月の全日本大学駅伝でも優勝しており、1シーズンに大学駅伝の3つのメジャータイトルをすべて獲得した5つ目の大学となった。

訳

記事の対訳です。
※ヘッドラインは日本語の見出しとして自然になるよう、表現を変えている場合があります。

読解のツボ

説明を加える to 不定詞や分詞構文

　2 は Komazawa が主語、became が述語動詞、the fifth school が補語で「駒澤大学は5つ目の大学になった」という意味です。その後ろに to sweep collegiate ekiden's three major titles in a season という to 不定詞句が続き、何をした5つ目の大学なのかが詳しく説明されています。名詞の直後に to 不定詞がある場合は **to 不定詞が名詞を修飾している**可能性があると考えてみましょう。

　動詞の sweep は title と相性がよく、ここでは「1シーズンで大学駅伝の3大タイトルをすべて獲得した」ということです。続く having won から始まる部分は分詞構文になっていて、箱根駅伝の優勝よりも「前に」どのような駅伝で優勝したかが補足的に付け加えられています。特に英字新聞では、こうして **to 不定詞や分詞構文を用いて後ろに説明を加えていくことが特徴**の一つ

読解のツボ

英語ニュースに多く見られる挿入句や情報の追加など、英文を読む際に特に押さえておきたいポイントを解説しています。特に大事な点は複数回取り上げています。

ニュース英語の特徴

1 見出しを読む

　英字新聞の見出し（headline）は限られたスペースで記事の要点が書かれています。少ないスペースを特有の表現形式を用いて有効活用しています。たとえば予定を表すbe（going）to doはto doとなります。ここでは、代表的な見出しのスタイルを確認していきましょう。

1 冠詞や代名詞（所有格）が省略される

(The) G7 leaders share(d) **(the/their)** aim to achieve **(a)** nuclear-free world: Kishida

（G7 広島サミット閉幕、岸田首相「核なき世界へ」理想共有）

　見出しでは冠詞や代名詞の所有格が省略されます。理由は省略されても見出しとして大きく意味が損なわれることがないためです。極論になりますが、なくても意味は理解できるので、この点についてはあまり気にしなくてもよいと思います。

2 be動詞が省略される

受け身形はbe動詞を省略して〈主語＋過去分詞〉

COVID-19 downgraded to same level as flu

（新型コロナ、インフルエンザと同じ5類に引き下げ）

≫ COVID-19 **was** downgraded to **the** same level as the flu

進行形はbe動詞を省略して〈主語＋-ing形〉

Greece plans hourly caps on visitors to ancient
Acropolis, allowing just 20,000 daily
（ギリシャ・アクロポリス遺跡 入場者数を制限へ、1日最大2万人）

≫ Greece plans hourly caps on visitors to **the** ancient
Acropolis **and is** allowing just 20,000 daily

　現在進行形は「現在進行中の出来事」の他に、未来を表す副詞を伴うと「確定された近い未来の出来事」を表します。見出しの -ing 形も同様に進行中の出来事もしくは未来の事柄を表します。

　他に、〈主語＋be動詞＋前置詞句／形容詞／副詞〉でもbe動詞が省略されることがあります。

「予定」を表す〈be to不定詞〉のbe動詞が省略

Prosecutors to push for guilty verdict in Hakamata
retrial
（検察、袴田さんの再審公判で有罪立証へ）

≫ Prosecutors **are** to push for **a** guilty verdict in **the**
Hakamata retrial

　〈主語＋be動詞＋to不定詞〉で「（未来の）予定」を表しますが、見出しでは〈主語＋to不定詞〉となります。「予定」ではなく、「将来の見通し（可能性）・予測」を表すときにはwillが使われることがあります。

　なお、July will be warmest month on record, scientists calculate（7月、観測史上最も暑い）は、まだ7月が終わっていないので、「このままいけば7月が観測史上最も暑い月になるだろう」という意味で will が用いられています。

3 現在形は「過去」もしくは 「現在完了」を表す

Komazawa completes ekiden title sweep with Hakone win

（駒澤大が箱根駅伝を制し、大学駅伝三冠達成）

≫ Komazawa **completed the** ekiden title sweep with **their** Hakone win

　ニュースの多くは昨日（過去）の出来事を報道するものなので、本来は「過去形」で表します。しかしヘッドラインは「過去のことを、読者の目の前で今、起きているかのように表す」ために「現在形」で表します。complete [win] the title sweep はスポーツ報道でよく見る表現で「タイトルをすべて勝ち取る」という意味です。

4 過去形は「現在との対比」を表す

Zoom **thrived** on the remote work revolution. Now it wants its workers back in the office.

（リモートワークの象徴「Zoom」、従業員にオフィス復帰を要請）

　thrive on ~ で「～で栄える」という意味で、その過去形である thrived が使われています。見出しの過去形は「昨日以前の過去」を表し、「これまで~してきた」というような意味になります。ここでは1文目で「Zoom社はこれまでリモートワークで成長してきた」ことを表し、次の文で「今ではオフィスで仕事をするように求めている」となります。このように、過去形は主に過去と現在を対比するときに使われます。

5 カンマ(，)がandの役割を担う

Trump tangles with judge, complains of treatment at
NY fraud trial
（トランプ前大統領、判事と衝突し不満を述べる）
≫ Trump tangled with the judge and complained of
his treatment at his NY fraud trial

　スペースの都合で and がカンマに置き換わることがあ
ります。

6 情報源を表すときにコロン(：)が使われる

Mutiny didn't affect Ukraine fighting: Shoigu
（反乱は「軍事作戦」に影響なし、とショイグ露国防相）
≫ Shoigu said that the mutiny didn't affect the
Ukraine fighting

　コロンを使って〈発言内容：発言者〉を表すパターン
ですが、ここでは伝達動詞の said と接続詞の that がコ
ロンで代用されています。コロンの別の使い方として
は、Tokyo: Fans flock to see panda before she returns
to China のように「記事の発信地」であることを明示す
るために〈発信地：内容〉とするものがあります。

2 最初の段落(リード)のスタイル

　記事の書き出しの段落は5W1H（いつ・どこで・誰が・何
を・なぜ・どのように）に当たる情報がぎゅっと詰め込まれ、
そこを読めば記事の概要がわかるようになっています。
ここでは、見出しと共にリードの読み方を確認しましょう。

70% call for regulating development of AI bots

———— Kyodo, 2023.4.30

The Japanese public harbors concerns about the rapidly spreading use of AI chatbots, with 69.4% calling for stricter regulation on the development of artificial intelligence, a Kyodo News poll showed April 30.

（日本の国民は、急速に拡大する対話型人工知能の使用について懸念を抱いており、69.4%が人工知能の開発への規制強化を求めていることが4月30日、共同通信の調査でわかった）

Point 1　見出しの情報は第1文で展開する

　見出しは 70% call for regulating development of AI bots（70%が対話型AIの開発規制を求める）となっていますが、具体的に70%が何かはわかりません。この点がリードで説明されていることを確認しましょう。そうすると、日本の国民の69.4%が規制を求めているということがわかります。見出しは70%ですが、正確な数値は69.4%です。これは見出しが「大まかな内容を伝える」ものだからです。

Point 2　付帯状況のwithで前の内容を説明する

　The Japanese public harbors concerns about the rapidly spreading use of AI chatbots,（日本の国民は、急速に拡大する対話型人工知能の使用について懸念を抱いている）という文が示され、「どれくらいの人が懸念を抱いているのか」についてwith 69.4% calling for stricter regulation on the development of artificial intelligence と補足説明されています。ここでの with を含む部分は〈with ＋意味上の主語＋ -ing 形〉で、「意味上の主語が〜する」となります。従って「69.4%（の人）が人工知能の開発への規制強化を求めている」ということです。他にも、分詞構文を用いて補足説明を行うことがあります。

Point 3 前置詞を省略する

曜日などを表すときに用いられる前置詞の on や、at などが省略されることがあります。

a Kyodo News poll showed April 30 では本来は on April 30 となるところですが、前置詞の on が省略されています。

このように、新聞記事は見出しとリードを読めば大体の内容をつかむことができるように書かれています。ですから、まずはこれらをしっかり読めるようになることを目標に頑張ってみましょう。ここで取り上げた例はすべて本書で扱っています。実際に記事と解説を読みながら慣れていきましょう。

January

IT IS 90 SECO
TO MIDNI

Level 1

Komazawa completes ekiden title sweep with Hakone win

駒澤大が箱根駅伝を制し、大学駅伝三冠達成

Prince Harry's *Spare* is fastest-selling nonfiction book in UK, says publisher

ハリー王子の回顧録『スペア』、英ノンフィクションで過去最高の滑り出し

Level 2

Watchdog can now ask internet providers to remove posts on weapon-making

ネット上の有害情報、「銃器製造」など3月から監視強化

Coming of Age Day ceremonies see shifts

自治体の多く、「成人式」改め「二十歳を祝う会」

Level 3

Big pay rises for Fast Retailing's Japan workers

ユニクロ、賃金最大4割アップへ

Scientists set Doomsday Clock to closest point to midnight

「終末時計」、人類滅亡まで90秒に

Komazawa completes ekiden title sweep with Hakone win

—— Kyodo, 2023.1.3

Komazawa University held on to its **overnight** lead to win the Tokyo-Hakone **collegiate** ekiden road relay Jan. 3 for the second time in three years and eighth time overall.

Komazawa became the fifth school to sweep collegiate ekiden's three major titles in a season, having won the Izumo Ekiden in October and the national championship in November.

(57 words)

□ complete　〜を完了する 　　□ overnight　前日からの

□ sweep　全勝　★大学駅伝三　　□ collegiate　大学生の
冠のこと。第 2 段落の sweep
は動詞で「〜を全勝する」

Check

hold on to[onto] 〜　〜を離さない、しがみつく

hold は「〜を持つ」という意味ですが、hold on to には「しっかりと握って離さない」というニュアンスがあります。ここでは、駅伝の往路で手にした 1 位の座を復路でも決して譲らなかったということを hold on to its overnight lead と表しています。

駒澤大が箱根駅伝を制し、大学駅伝三冠達成

　駒澤大学は前日からのリードを守り、1月3日の東京箱根間往復大学駅伝競走で優勝した。3年間で2回目、全体では8回目の優勝となる。

　駒澤大学は、10月の出雲駅伝、11月の全日本大学駅伝でも優勝しており、1シーズンに大学駅伝の3つのメジャータイトルをすべて獲得した5つ目の大学となった。

読解のツボ

説明を加える to 不定詞や分詞構文

　2 は Komazawa が主語、became が述語動詞、the fifth school が補語で「駒澤大学は5つ目の大学になった」という意味です。その後ろに to sweep collegiate ekiden's three major titles in a season という to 不定詞句が続き、何をした5つ目の大学なのかが詳しく説明されています。名詞の直後に to 不定詞がある場合は **to 不定詞が名詞を修飾している**可能性があると考えてみましょう。

　動詞の sweep は title と相性がよく、ここでは「1シーズンで大学駅伝の3大タイトルをすべて獲得した」ということです。続く having won から始まる部分は分詞構文になっていて、箱根駅伝の優勝よりも「前に」どのような駅伝で優勝したかが補足的に付け加えられています。特に英字新聞では、こうして **to 不定詞や分詞構文を用いて後ろに説明を加えていくことが特徴**の一つです。

Prince Harry's *Spare* is fastest-selling nonfiction book in UK, says publisher

Reuters, 2023.1.10

Prince Harry's **memoir** *Spare* has become the U.K.'s fastest-selling nonfiction book ever, the book's publisher said on Jan. 10.

"We **always** knew this book would fly but it is exceeding even our most **bullish** expectations," Transworld Penguin Random House Managing Director Larry Finlay said in a statement. (48 words)

□ Harry ★ Henry の短縮形で愛称。日本では「ヘンリー王子」と記載されることが多い

□ memoir 回顧録
□ always 前々から
□ bullish 強気な

Check

fly 飛ぶように売れる

fly off the shelves で「(〜が) 飛ぶように売れる」という意味です。直訳は「棚から飛び出す」ですが、たくさんのものが売れていることを表します。記事は off the shelves が省略された形です。

写真提供：Â©Vuk Valcic／ZUMA Press Wire／共同通信イメージズ

ハリー王子の回顧録 『スペア』、
英ノンフィクションで過去最高の滑り出し

　ハリー王子の回顧録『スペア』はイギリスにおいて過去最速ペースで売れているノンフィクション作品になった、と出版社が1月10日に発表した。

　「この本は売れるだろうとわかっていましたが、われわれの最も強気な予想すらも超える勢いです」と、トランスワールド・ペンギン・ランダムハウスのマネジング・ディレクター、ラリー・フィンレイ氏は声明で述べた。

読解のツボ

現在進行形で「変化・推移」を強調する

　動詞 exceed は「数量・技能が〜を超える」という意味では基本的に進行形にすることはできません。これは Demand for water far exceeds supply.（水の需要は供給量をはるかに上回っている）のようにすでに超えた状態を表しているからです。一方で限度や制限を超える場合、たとえば He accepts he was exceeding the speed limit.（彼は制限速度を超えていたことを認めている）のように、ある一定期間だけスピードを超過していたという場合は進行形が使えます。

　1の文では it is exceeding ... expectations と現在進行形になっています。これは、販売数が予想していた数に迫り、そしてその数を超え、さらにそれを上回る勢いがある、**という推移を強調している**ことが表されているのです。

Watchdog can now ask internet providers to remove posts on weapon-making

Kyodo, 2023.1.11

From March, Japan's internet watchdog will be able to request the removal of **instructional posts** related to murder, guns and **explosives**, police said Jan. 26.

The move comes **in the wake of** the assassination of former Prime Minister Shinzo Abe, whose suspected killer is believed to have built the murder weapon based on information found online.

(56 words)

☐ weapon-making　武器製造に関する
☐ instructional　指導の
☐ post　投稿
☐ explosive　爆発物
☐ in the wake of ~　~を受けて

Check

watchdog　監視人、監視機関

元々の「番犬」という意味が比喩的に広がって「番人・監視人」に、さらに「監視機関」という組織全体を指すようになりました。the U.N. nuclear watchdog agency は「国連の核査察機関」です。

ネット上の有害情報、
「銃器製造」など3月から監視強化

　1月26日、日本のネット監視機関は3月から、殺人、銃器、爆発物に関連する手引き的な書き込みの削除要請ができるようになると警察は発表した。

　これは安倍晋三元首相の暗殺を受けた動きであり、その容疑者はネット上の情報をもとに凶器を製造したとみられている。

便利な定型表現

　英字新聞では、**結論を示してから説明を加えていくこと**がよくあります。ここでもインターネットの監視機関が削除要請できるようになることを示してから、その結論に至った経緯が2の文で説明されています。〈The move comes in the wake of ~〉は定型表現で「この動きは~によるものである」「これは~をきっかけとした動きである」という意味です。〈in the wake of ~〉「~の結果として、~にすぐ続いて」も英語ニュースでよく出る表現なので覚えておくとよいでしょう。

　「これは安倍晋三元首相の暗殺を受けた動きだ」と示した後で、**前の内容を補足説明するために〈カンマ＋関係代名詞 whose〉** が続いています。whose suspected killer は「その殺人事件の容疑者は」と捉えます。続く is believed to have built も「~と思われる」「~とみられている」という意味の〈be believed to do〉という定型表現が使われています。

Coming of Age Day ceremonies see shifts

———— Kyodo, 2023.1.9

Following the lowering of the legal age of adulthood to 18 last April, more **municipalities** have changed the name of ceremonies traditionally held for 20-**year-olds** on Coming of Age Day, which this year **fell on** Jan. 9.

Some municipalities are also trying to avoid holding the ceremony for 18-year-olds in January, as they are busy preparing for university entrance exams or job hunting.

(63 words)

□ Coming of Age Day　成人 の日
□ municipality　自治体
□ ~-year-old　～歳の人
□ fall on ~　～に当たる

Check

Coming of Age Day ceremonies **have seen shifts**

〈S + see shifts〉は見出しで使われると「S は変化が見られる」という意味になります。巻頭 (p. 14) で述べたように「見出しの現在形は過去形・現在完了」ですので、「成人式の式典に変化が見られた」という意味です。

自治体の多く、「成人式」改め「二十歳を祝う会」

　昨年4月に法的な成人年齢が18歳に引き下げられたことを受けて、20歳の人のために成人の日に伝統的に開催される式典の名称を変更する市町村が増えた。その成人の日は、今年は1月9日だった。

　18歳の人は大学入試や就職活動の準備で多忙なことから、1月に18歳の人向けの式典を開くことを避けようとする市町村もある。

読解のツボ

前置詞から始まる文

　1のfollowingは「〜の結果、〜を受けて、〜の後に」という意味の前置詞で、主節のSVが起きた原因や理由を表します。英字新聞で頻出の表現です。続くthe lowering ofは「〜を引き下げること」ですが、to 18（18歳まで、18歳に）でどこまで引き下げるかが示されていることを見逃さないようにしましょう。

　the name of ceremonies traditionally held for 20-year-oldsのheldは過去分詞で、ceremoniesを修飾しています。

　この文の最後の , which this year fell on Jan. 9 は〈カンマ＋ which〉の関係代名詞節です。**直前の固有名詞を説明するときに〈カンマ＋ which〉が使われます。**ここでは「成人の日」について、「今年は1月9日に当たる」と補足情報を伝えています。

Big pay rises for Fast Retailing's Japan workers

—— Kyodo, 2023.1.11

Uniqlo operator Fast Retailing said Jan. 11 it will raise the annual salaries of its workers in Japan by up to 40% in March **in an effort to narrow** the **remuneration** gap with its employees overseas and increase the company's global **competitiveness**.

The casual clothing chain operator joins other large companies moving to **hike wages** amid public **concern** over prices continuing to rise and **bite** Japanese **households' pocketbooks**. (68 words)

☐ in an effort to do　〜しようと 努力して

☐ narrow　〜を縮める

☐ remuneration　給与

☐ competitiveness　競争力

☐ hike wages　賃上げする

☐ concern　懸念

☐ bite　〜に打撃を与える

☐ households' pocketbooks 家計

Check

pay rises　賃上げ

見出しの Big pay rises for 〜 は「〜に対する大幅な賃上げ」という意味の名詞句です。rises を動詞と捉え「大きな支払いが上がった」と読まないようにしましょう。

ユニクロ、賃金最大 4 割アップへ

　ユニクロの運営会社ファーストリテイリングは 1 月 11 日、海外の従業員との給与の差を縮めて同社の世界的競争力を高めるため、日本国内の従業員の年間給与を 3 月に最大 40% 引き上げると発表した。

　そのカジュアル衣料品チェーンの運営会社（ファーストリテイリング）は、物価上昇が日本の家計に打撃を与え続けていることに国民の懸念がある中で、賃上げに動く他の大企業と肩を並べた。

読解のツボ

英字新聞で頻出:分詞の用法

　英字新聞では**直前の名詞を説明するために分詞（動詞の -ing 形と過去分詞形）がよく用いられます**。1 では moving と continuing が**現在分詞**として用いられています。moving が直前の other large companies を説明し、「賃上げに動いている他の大企業」となります。continuing もやはり直前の prices を説明し、「上昇し、日本の家計に打撃を与え続けている物価」という意味になります。

　この文では、**amid という新聞記事で頻出の前置詞も覚えておきましょう**。出来事の背景を説明するときに用いられます。〈S＋V amid ~〉で、「～という状況で S が V した」という意味です。amid public concern over ~ は、「国民に～という懸念がある中で」「人々が～を懸念している中で」となります。

Scientists set Doomsday Clock to closest point to midnight

———————— Reuters, 2023.1.25

Atomic scientists set the Doomsday Clock closer to midnight than ever before on Jan. 24, saying threats of nuclear war, disease and climate volatility have been **exacerbated** by Russia's invasion of Ukraine, putting humanity at greater risk of **annihilation**.

The Doomsday Clock, created by the **Bulletin of the Atomic Scientists** to illustrate how close humanity has come to the end of the world, moved its "time" in 2023 to 90 seconds to midnight, 10 seconds closer than it has been for the past three years.

(85 words)

☐ Doomsday Clock　終末時計
　★真夜中が滅亡の時を示す

☐ exacerbate　～を悪化させる

☐ annihilation　滅亡

☐ Bulletin of ... Scientists　★
　米非営利団体およびその発行物

> **Check**
>
> ### volatility　不安定、変動
>
> ---
>
> 3 行目の volatility は形容詞 volatile の名詞形です。volatile には「〈市場・情勢などが〉変わりやすい，不安定な」、「〈人・気分などが〉変わりやすい」、「〈液体・油が〉揮発性の」という意味があることから、climate volatility は「気候が変わりやすい」→「気候変動」（climate change）の意味になります。

「終末時計」、人類滅亡まで 90 秒に

1 月 24 日、原子力科学者らは「終末時計」の針をこれまでで最も 0 時に近づけた。核戦争の脅威、疾病、気候変動がロシアのウクライナ侵攻により悪化し、人類を滅亡の危機へと今まで以上に追いやっていると述べている。

「終末時計」は「原子力科学者会報（BAS）」が作成し、人類が世界の終わりまでどれだけ近づいているかを示すものだ。2023 年に「時」が真夜中まで 90 秒となり、過去 3 年間よりも 10 秒近くなった。

読解のツボ

原因と結果を明確にする -ing（分詞構文）

1 の set the Doomsday Clock closer to midnight は〈set O C〉（O を C の状態にする）という**第 5 文型**で、「終末時計を真夜中の 0 時に近づけた」という意味になります。than ever before は「かつてないほど」という決まり文句です。

分詞構文の saying 以降で、原子力科学者たちがどのようなことを言ったのかが示されています。have been exacerbated と現在完了形になっているのは、ウクライナ侵攻によって引き起こされた脅威が現在まで影響を及ぼしていることを示しています。

putting も**分詞構文**で、「原因と結果」を明確にしています。この場合、〈S＋V, -ing ～〉で「S が V することにより～となった、～をもたらした」という意味になります。ロシアのウクライナ侵攻が（結果として）人類を滅亡の危機へと追いやった、ということです。

February

写真提供：新華社／共同通信イメージズ

2 月

Fowl-free: McDonald's debuts plant-based McNuggets in Germany

——— AP, 2023.2.16

McDonald's McNuggets are going fowl-free. The company added plant-based McNuggets to the menu of its restaurants in Germany on Feb. 22. Germany is the first market to get them.

McPlant Nuggets — made from **peas**, corn and wheat with a **tempura batter** — are the second product McDonald's has **co-developed** with California-based Beyond Meat. McDonald's has been selling McPlant burgers since 2021.　　　(60 words)

- □ plant-based　植物由来の
- □ pea　エンドウ豆
- □ tempura batter　天ぷら衣
- □ co-develop　共同開発する

> **Check**
>
> **fowl-free　ニワトリの入っていない**
>
> chicken-free とも言いますが、英字新聞では「より少ない文字数の単語」が選択されることがよくあります。fowl は広義では「家禽類」ですが、ここでは狭義の「ニワトリ」と解釈します。free は a smoke-free area（禁煙区域）のように使います。

マクドナルド、代替肉を使ったナゲット　ドイツで販売開始

　マクドナルドのマックナゲットは鶏肉なしへと向かっている。同社は2月22日、植物性由来原料のマックナゲットをドイツ店のメニューに追加した。ドイツは、植物成分のマックナゲットが販売される初の市場となる。

　マックプラント・ナゲット──エンドウ豆、トウモロコシ、小麦、天ぷら衣で作られる──は、カリフォルニアに本社を置くビヨンド・ミートとマクドナルドが共同開発した2番目の製品だ。マクドナルドは、マックプラント・バーガーを2021年から販売している。

読解のツボ

関係代名詞の省略を見抜く

　英字新聞では文字数を節約するために、**目的格の関係代名詞は省略されることがよくあります**。見抜き方はいくつかありますが、「名詞が連続して出てきた直後に動詞が続く」ところに関係代名詞の省略があります。

　1では、McPlant Nuggets が主語、made from から batter までが挿入句、are が述語動詞、the second product が補語（名詞句）になっています。その直後に名詞の McDonald's が出てきました。そして has co-developed が続くため、product と McDonald's の間に**目的格の関係代名詞が省略されている**と判断できます。意味は「マクドナルドがカリフォルニアに本社を置くビヨンド・ミートと共同開発した2番目の製品」となります。なお、現在完了形が用いられているのは、過去の行為（ナゲットの開発）が現在（市場に出回る）に影響を与えているからです。

Tokyo: Fans flock to see panda before she returns to China

Kyodo, 2023.2.19

Visitors flocked to Ueno Zoo in Tokyo on Feb. 19 to **bid** goodbye to a **hugely** popular female giant panda on her last day with the public before her return to China.

Xiang Xiang was born at the zoo in June 2017 from a pair **on loan** from China. She was Ueno Zoo's first **naturally conceived** giant panda. (58 words)

☐ flock　群がる
☐ bid　～（挨拶）を言う
☐ hugely　大いに
☐ on loan　貸し出し中の
☐ naturally conceived　自然繁殖による

Check

conceive　妊娠する、思いつく、考える

最終行の conceive はまったく異なる意味を持つ語です。13世紀後半、古いフランス語の「妊娠する」という意味が英語に取り入れられ、のちに比喩的に意味が拡張して「概念を心に形成する」→「考えを思いつく」という意味になりました。

上野動物園、ファンがパンダ「シャンシャン」との別れ惜しむ

　2月19日、中国に帰国する前の一般公開最終日、大人気のメスのジャイアントパンダにさよならを言おうと、東京の上野動物園に大勢の人が集まった。

　シャンシャンは2017年6月に上野動物園で、中国から貸し出されていた2頭のパンダから誕生した。シャンシャンは上野動物園で初めて自然繁殖によって誕生したジャイアントパンダだった。

読 解 のツボ

to 不定詞の「目的」を表す用法

　主語の「行為の目的」を表すときに〈S＋V～to 不定詞〉のパターンを用いることがあります。1では、「2月19日に大勢の人たちが上野動物園に集まった」ことに対する目的が to bid goodbye to a hugely popular female giant panda（大人気のメスのジャイアントパンダにさよならを言うために）と示されています。bid は say よりも堅い語とされていて、大抵は「歓迎の挨拶」か「別れの挨拶」を述べる文脈で用いられます。He bade me welcome.（彼は私に歓迎の挨拶を述べた）や He bade us farewell.（彼は私たちに別れの挨拶を述べた）のように使います。フランス語の adieu を取り入れた定型表現として bid ～ adieu（～にさよならを言う）もあります。

　flock は動詞で「（人・動物などが）群がる、集まる」という意味です。名詞として「（ヒツジ・鳥などの）群れ」を表しますが、古来は「人の群れ」を表す語から、同種の動物が集まっていることを表すようになりました。

Sushi chain files damage complaint to police

Kyodo, 2023.2.1

The operator of major conveyor belt sushi restaurant chain Sushiro said Feb. 1 it has filed a damage complaint to police against a customer after a video of **them misusing** and licking unused cups and sushi **racked up** millions of views online.

(43 words)

□ file　〜を提起する

□ them　★撮影者も含むため複数形になっている

□ misuse　〜を誤用する

□ rack up 〜　〜を得る、積み重ねる

Check

file　（告訴・申請書など）を提起する、提出する

file は古いフランス語の「文書をまとめておくために書類に糸を通す」という動詞に由来しています。その後、「法廷での書類をまとめる」から転じて「訴状などを提出する」という意味になりました。また、file A against B 「B に対して A（訴状など）を提出する」や「B に対して A の訴訟を起こす」という使い方もあります。

スシローが警察に被害届を提出

　大手回転寿司チェーン「スシロー」の運営会社は2月1日、客が未使用の湯呑みや寿司を不適切に扱い、舐めている動画がインターネット上で数百万回の視聴回数となった後、その客に対して被害届を警察に出したと発表した。

読解のツボ

（代）名詞が動名詞の意味上の主語になるパターン

　after 以下の文の主語と動詞はきちんとつかむことができたでしょうか。主語が a video of them misusing and licking unused cups and sushi で、述語動詞が racked up になります。主語が長いので、しっかり形を確認しておきましょう。a video に続く of them misusing and licking ... でどのような動画であるかが説明されています。これは〈前置詞＋（代）名詞＋動名詞〉という形です。**〈前置詞＋（代）名詞の目的格（所有格）＋ -ing 形〉の形で、（代）名詞の目的格（所有格）と動詞の -ing 形の間に「主語と述語」の関係が成り立ちます。**このとき、目的格（所有格）を動名詞の意味上の主語と呼びます。

　ここでは them と misusing and licking の間に主語と述語の関係を読み取り、「彼らが～を不適切に扱い、なめている」という意味で捉えます。動名詞の misusing と licking の目的語が unused cups and sushi で、過去分詞の unused は直後の名詞 cups を修飾し「未使用の湯呑み」という意味になっています。**過去分詞1語で名詞を修飾するときは「過去分詞＋名詞」という語順**になります。

Inn in hot water over bacteria in hot spring

————— Kyodo, 2023.2.15

A century-old *ryokan* in Fukuoka Prefecture has only been changing its hot-spring bathwater twice a year, leading to Legionella bacteria levels as much as 3,700 times over standard limits, local officials said Feb. 24.

The Daimaru Besso traditional inn in Chikushino is suspected of providing false information about how often the bathwater is changed. A local **ordinance** says hot springs should change their bathwater at least once a week.

(69 words)

☐ inn　宿 　　　　　　　　☐ ordinance　条例

Check

in hot water　困難な状況で

in trouble と同じ意味ですが、この記事は旅館の温泉問題を扱っているため、見出しで in hot water のほうが使われています。なお、続く over は「〜をめぐって」という意味で、本文4 行目の over は基準値を超える量の菌が検出されたことを表しています。

温泉旅館で基準値を超えるレジオネラ属菌が検出

　福岡県で100年続く旅館が温泉の湯を1年に2回しか入れ替えておらず、基準値の3,700倍ものレジオネラ属菌の発生につながったと、地元当局が2月24日に発表した。

　筑紫野市の伝統的な旅館、大丸別荘は、風呂の湯の入れ替え頻度について、虚偽の情報を提供していた疑いが持たれている。地元の条例では、温泉は少なくとも週1回は湯の入れ替えをするよう規定されている。

読解のツボ

「直前までしてきたこと」を表す現在完了進行形

　1は has only been changing ... で〈have ＋ been ＋ -ing 形〉の**現在完了進行形**になっています。これは、**「ずっと～している（まだ続きそうだ）」** または **「ついさっきまでずっと～していた」** という意味を表します。そして〈have only ＋過去分詞〉で「～しかやってこなかった」となり、ここでは問題が発覚するまで温泉の湯を1年に2回しか交換していなかったことを表しています。

　現在の状況にどのような影響があるかについて、続く分詞構文の leading 以下で説明されています。つまり、基準値を大幅に超えるレジオネラ属菌の発生につながったのです。leading to ... は、前に示されていることについて、それがどのような結果を招いたかを表します。

Turkey, Syria death toll tops 37,000 as search continues

—————— Kyodo, 2023.2.13

The death toll from a powerful earthquake that **devastated** southern Turkey and neighboring Syria surpassed 37,000 on Feb. 13, according to figures **collated** from the two countries, as time runs out in the search for survivors.

A week after the disaster, rescuers continue to search **collapsed** buildings in the bitter cold, with concerns rising over the potential spread of **unrest** as **desperation sets in**. (64 words)

□ death toll 死者数

□ devastate ～に壊滅的打撃を
与える

□ collate 照合する

□ collapsed 崩壊した

□ unrest 情勢不安

□ desperation 自暴自棄

□ set in 始まる

Check

surpass ～を超える

sur はラテン語の super（超える）、pass は古いフランス語の passer（通る）に由来し、「何かを超えて通り過ぎる」→「～を超過する」という意味になります。似た単語に trespass「不法侵入」があり、tres（横切る）＋ passer →「勝手に入って通り過ぎていく」という意味ができました。

42

トルコ・シリア大震災、死者数３万７千人超

　トルコ南部と隣国シリアに破壊的打撃を与えた大地震での死者数は、両国で照合された数字によると、２月13日に３万７千人を超えた。生存者の捜索活動に残された時間は残り少なくなっている。

　震災から１週間がたち、救助隊員たちは厳しい寒さの中で倒壊した建物の捜索を続けている。人々は自暴自棄になり、情勢不安が広がることへの懸念が高まっている。

読解のツボ

接続詞の as と付帯状況の with

　接続詞の as によって述べられる文は、ある出来事が生じる背景や状況を示します。 as は語源的に「同じ」という意味が核にあります。そのため、**A as B と出てきたときに、A と B の事柄が同じタイミングで生じていて B がその背景や状況である**と考えれば理解しやすいでしょう。

　２の後半では with concerns rising over the potential spread of unrest「情勢不安が高まることの懸念」がどのような状況で生じるのかを、as 以下で説明しています。自暴自棄になり、（同時に）情勢不安が高まる可能性があるということです。なお、〈with 名詞＋ -ing 形〉（［名詞］が〜している）は、**付帯状況の with** と呼ばれ、**主節に付随して起きる状況を示します。**このように、as や with は英字新聞に頻出する表現なので、知っておくとスムーズに読むことができます。

President of ad giant Dentsu admits to rigging bids over Tokyo Games

Kyodo, 2023.2.27

The president of Dentsu Group has admitted to **prosecutors** the Japanese ad giant's involvement in rigging bids over the Tokyo Olympics, sources close to the matter said Feb. 27, as a **corruption** scandal **engulfing** the global sports event widened.

Tokyo prosecutors are considering indicting Dentsu and five other companies **on charges of** violating the **anti-monopoly law** after receiving complaints by the Japan Fair Trade Commission. (65 words)

- [ ] ad 広告 ★＝advertisement
- [ ] giant 巨大企業、大手
- [ ] rigging bids 談合、不正入札
  ★ rigging は「不正操作」
- [ ] prosecutor 検察（官）
- [ ] corruption 汚職
- [ ] engulf ～を飲み込む、巻き込む
- [ ] on charge of ～ ～の罪・容疑で
- [ ] anti-monopoly law 独占禁止法

Check

sources close to the matter その件に詳しい筋

報道の世界では情報源について匿名にすることがよくあります。a government source said（政府筋によると）、3〜4行目に出てくる sources close to [familiar with] the matter（その件に詳しい筋）のように表します。

電通社長、五輪談合への関与認める

世界的なスポーツイベント（オリンピックのこと）を巻き込んだ汚職事件が広がりを見せる中、電通グループの社長が検察側に対し、日本の広告最大手である自社が東京オリンピック・パラリンピックの談合事件に関与したことを認めたと、事件に近い筋が 2 月 27 日に語った。

東京地検は公正取引委員会の申し立てを受けて、電通と他の 5 社を独占禁止法違反の罪で起訴することを検討している。

読解のツボ

目的語の後置

1 に出てくる他動詞の admit は、〈admit O (to ~)〉で「罪や責任を（〜に対して）認める」、また「…したことを認める」という意味では〈admit -ing (to ~)〉のように使います。**目的語に当たる語句が長い場合は〈admit to ~ O〉と語順を入れ替える**ことがよくあります。ここでは the Japanese から Olympics までが長い目的語になっているため、to prosecutors が前にきています。このように、目的語の情報量が多い場合は**文末に移動させて文全体のバランスを取る**ことがあります。また、目的語を (that) the Japanese ad giant (company) involved in rigging bids over the Tokyo Olympics という主語と動詞を含む節にするのではなく、名詞化して圧縮した表現になっています。これは英字新聞の特徴の一つです。

March

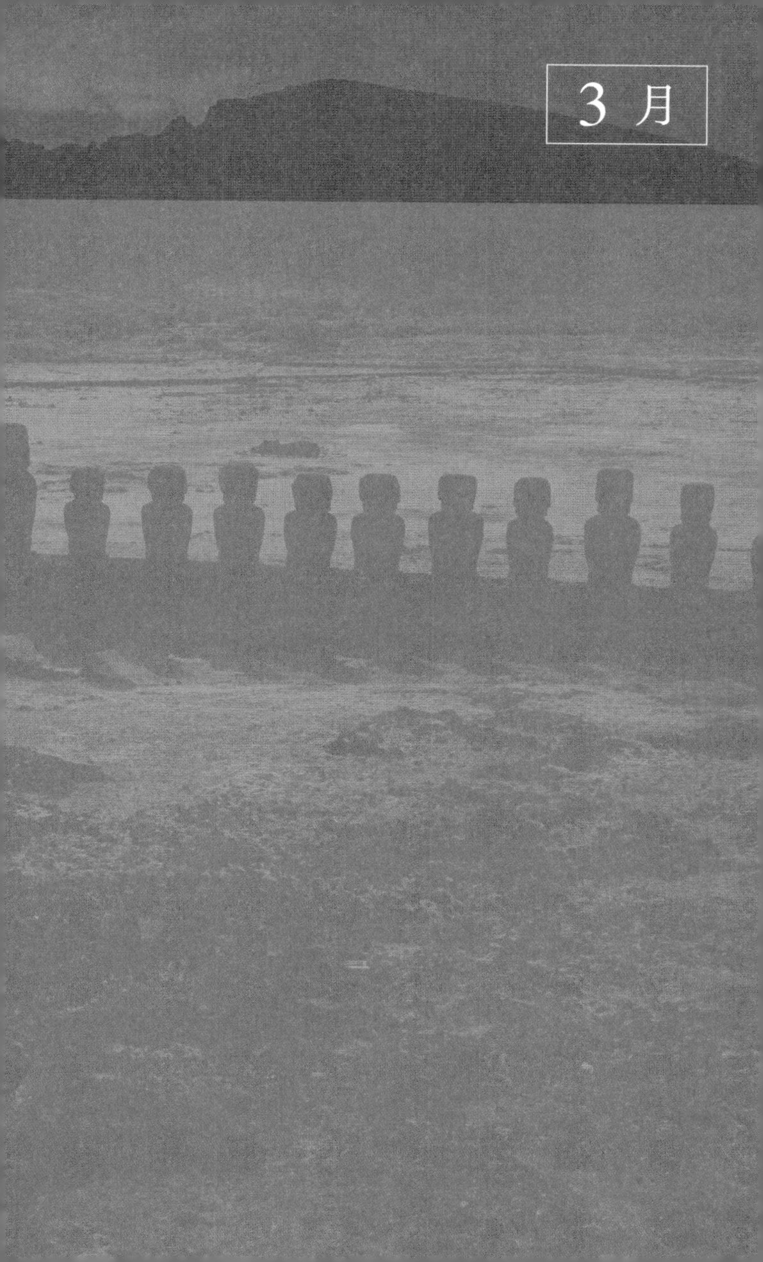
3 月

French bulldog claims title of top purebred in US, dethroning the Labrador

Reuters, 2023.3.16

The gentle and uber-cute French bulldog has claimed the title of most popular dog in the United States. It replaces the Labrador retriever as king of the purebreds in the American Kennel Club's 2022 rankings.

The **Lab slipped** to No. 2, with the golden retriever at No. 3 and the German shepherd No. 4. (54 words)

☐ purebred　純血種の動物 ☐ Lab　ラブラドール・レトリバー
☐ dethrone　〜を1位から降ろす ☐ slip　滑り落ちる

Check

uber-cute　超かわいい

Uber は配車やフードデリバリーサービスの企業ですが、この単語はドイツ語に由来します。ドイツ語の über は英語の over と同じルーツで「〜の上に」という意味があります。これが「最高の」を表す接頭辞となり uber-cute で「超かわいい」のような使い方をします。super-cute と言っても同じです。

米国の人気1位犬種にフレンチ・ブルドッグ
ラブラドール・レトリバーが首位陥落

　穏やかでとてもかわいいフレンチ・ブルドッグがアメリカで最も人気のある犬の座を獲得した。アメリカン・ケネルクラブ（AKC）の2022年のランキングで、ラブラドール・レトリバーに代わって純血種の王座についた。

　ラブラドール・レトリバーは2位となり、ゴールデン・レトリバーが3位、ジャーマン・シェパードが4位だった。

読解のツボ

現在完了の感覚をつかもう

　英字新聞には現在完了が頻繁に出てきます。そこで現在完了の感覚をつかんでおきましょう。〈have＋動詞の過去分詞〉で表される事柄は、**動詞の動作・状態が現在とつながりのあることです**。過去に触れていますが、言いたいことは「今の状況」です。

　1は The gentle and uber-cute French bulldog が主語で、has claimed が動詞ですね。claim は「〜を主張する」の他に「（地位・賞など）を勝ち取る、〜を得る」という意味があり、ここでは後者の意味で使われています。2022年に王座を獲得したことは過去の事実ですが、それが**この記事が書かれている時点（現在）まで1位の座にあるということが現在完了形で示されている**のです。

New statue found in dry lake at the center of a volcanic crater on Easter Island

———— AP, 2023.3.3

Researchers have found a new moai statue in a dry lake on the **Chilean** island of **Rapa Nui**. There are around 1,000 of the **iconic** sculptures on the island, known internationally as Easter Island.

The statue is **relatively** small at 1.6 meters tall. ₁Some other statues on the island are as tall as 22 meters. It was found by researchers from the University of Chile and O'Higgins University.

(68 words)

☐ volcanic　火山の　　　　　☐ iconic　象徴的な

☐ Chilean　チリの　　　　　　☐ relatively　比較的

☐ Rapa Nui　ラパ・ヌイ　★イースター島の現地語名

> **Check**
>
> **(A)** New statue **(has been)** found in **(a)** dry lake ...
>
> この found は動詞 find の過去分詞形です。見出しでは、受け身形を表す〈be 動詞＋過去分詞〉の be 動詞（ここでは現在完了の意味が加わり has been）や冠詞を省略します。

イースター島で新たなモアイ像
火口にある湖の底から 1.6m の 1 体が出現

　　研究者たちはチリのラパ・ヌイ（イースター島）の乾燥した湖の中で新しいモアイ像を発見した。世界ではイースター島として知られるこの島にはこの象徴的な彫刻（モアイ像のこと）が約 1,000 体ある。

　　今回の像は 1.6 メートルと比較的小型だ。この島にある他の像の中には、22 メートルもの高さの像もある。新たなモアイ像は、チリ大学とオヒギンズ大学の研究者によって発見された。

読解のツボ

強調の意味を持つ as X as …

　A is as tall as B は「A と B は同じくらいの高さ」を表す同等比較です。このとき、A と B には比較対象として同じカテゴリーの語句がきます。しかし 1 の Some other statues on the island are as tall as 22 meters. では、A に some other statues、B に 22 meters と**異なったカテゴリーの語句**がきています。このように**同じカテゴリーの比較対象がこない場合**、A is as tall as B は「A は B もの高さだ」というように、as X as の X の部分（ここでは高さ）を**強調します**。「イースター島のモアイ像の中には 22 メートルもの高さの像もある」となるわけです。as X as … で強調を表す場合には、as に囲まれた X の部分に期間（long）や頻度・回数（often）、重量（heavy）などの語句が入ります。

Guterres: Gender equality still '300 years away'

AFP-Jiji, 2023.3.7

Global progress on women's rights is "**vanishing before our eyes**," U.N. Secretary-General Antonio Guterres warned on March 6, saying the **increasingly** distant goal of gender equality will take another three centuries to achieve.

Guterres **called for** "**collective** action" worldwide by governments, civil society and the private sector to provide gender-**responsive** education, improve skills training and invest more in "**bridging** the digital gender divide."

(63 words)

□ vanish 消える
□ increasingly ますます、だんだん
□ call for ~ ~を求める
□ collective 集団の、共同の
□ ~-responsive ~に配慮した
□ bridge ～（ギャップなど）を埋める

Check

Guterres: Gender equality **(is)** still '300 years away'

コロンを使った見出しです。この場合は発言者や情報源を最初に示し、コロンの後ろに要約された発言内容や情報の内容を表しています。また、be 動詞が省略されています。

「ジェンダー平等の実現は300年先」と国連総長

国連のアントニオ・グテーレス事務総長は3月6日、女性の人権をめぐる世界の進歩は「私たちの目の前で消えている」と警告し、ますます遠ざかるジェンダー平等という目標の達成までにあと300年かかるだろうと述べた。

グテーレス事務総長は、ジェンダーに配慮した教育の提供や、スキルトレーニングの改善、「情報技術面でのジェンダー格差を埋める」ことへのさらなる投資のため、世界中での政府、市民社会、民間セクターによる「集団的行動」を呼びかけた。

読 解 の ツ ボ

英字新聞独自の話法に慣れよう

英字新聞では**記者が取材した出来事について書くため、原則的に「間接話法」が用いられます**。その際、記事の信頼性を高めるため、**間接話法に情報源の発言を直接引用する「直接話法」を用いる**ことがあります。ここでは、グテーレス氏の発言内容の一部を" "で囲んでそのまま引用しています。また、**発言内容を追記するときは、〈カンマ＋ saying（that）S＋V〉という付帯状況の分詞構文**を用いることがよくあります。1では the increasingly distant goal of gender equality が saying 以下の主語、will take が動詞です（that は省略されています）。take は「時間を要する・かかる」、続く目的語の another three centuries は「さらに3世紀の」という意味です。〈take 時間 to do〉は「～するのに…（ほどの時間）がかかる」という定型表現です。

Everything Everywhere All at Once dominates the Oscars

———————— Reuters, 2023.3.12

Everything Everywhere All at Once won the **coveted** best picture trophy at the Academy Awards on March 12 as Hollywood **embraced** an **off-kilter** story about a Chinese American family working out their problems across multiple **dimensions**.

The movie won seven awards **overall**, including three of the four acting Oscars for stars Michelle Yeoh, Ke Huy Quan and Jamie Lee Curtis. (60 words)

☐ coveted　切望される　　　☐ dimension　次元

☐ embrace　〜を受け入れる　☐ overall　全部で

☐ off-kilter　異色の

Check

dominate　〜を支配する、〜で優位に立つ

ラテン語の domus「家屋・家庭」に由来します。dom は「家・領域」の意味を持ち、domestic（家庭の）や domain（領域）なども同じ語源です。dominate は「領域化する」から「支配する、相手を圧倒する」という意味になりました。

米アカデミー賞、SF映画『エブエブ』7冠

　『エブリシング・エブリウェア・オール・アット・ワンス』は3月12日、アカデミー賞で待望の最優秀作品賞を獲得した。複数の次元にまたがって問題を解決していく中国系アメリカ人の家族を描いた異色のストーリーをハリウッドは受け入れた。

　本作は、役者部門の最優秀賞4つのうち、スター俳優のミシェル・ヨーさん、キー・ホイ・クァンさん、ジェイミー・リー・カーティスさんへの3つの賞を含め、全部で7つの賞を勝ち取った。

読解のツボ

理由の説明をする接続詞の as

　英字新聞には接続詞の as が多用されます。「同時性」「比例」「様態」「対照」「理由」「譲歩」を表す多義語です。同時性を表す例は2月の記事（p. 43）で説明しました。

　ここでは**「理由」**と考えるとすっきりします。主節で「アカデミー賞で待望の最優秀作品賞を獲得した」とあり、as 以下で「ハリウッドが異色のストーリーを受け入れたから」という理由が示されていることがわかります。

　なお、a Chinese American family working out their problems の working は family を修飾する現在分詞です。**主格の関係代名詞を使う代わりに現在分詞が用いられる、**英字新聞の特徴的なスタイルになっています。

Japan defeats US 3-2 to win World Baseball Classic

—— The Japan Times, AFP-Jiji, 2023.3.22

Japan **claimed** its third World Baseball Classic championship March 21 with a **tense** 3-2 win over the United States in Miami's LoanDepot Park.

Two-way superstar Shohei Ohtani earned the **save** for Japan in the ninth inning, writing his place in baseball history by **striking out** Los Angeles Angels teammate Mike Trout to end the game. (55 words)

- ☐ claim ～を獲得する
- ☐ tense 緊迫した
- ☐ two-way 二刀流の
- ☐ save （野球の）セーブ
- ☐ strike out ～を三振に打ち取る

Check

Japan defeated (the) US 3-2 **to win** (the) World Baseball Classic

---

見出しの to 不定詞には、①未来を表す、②〈ask O to do〉のように動詞と呼応する、③〈S＋V＋to do〉で結果を表す、というパターンがあります。ここでは③です。「アメリカを 3 対 2 で下した結果、WBC で優勝をした」となります。

WBC 日本がアメリカを下して3大会ぶり3度目の優勝

日本は3月21日、マイアミのローンデポ・パークでの緊迫した試合でアメリカに3対2で勝利し、ワールド・ベースボール・クラシック（WBC）で3度目の優勝を果たした。

投手と打者の二刀流スーパースター、大谷翔平選手は、9回に日本のためにセーブを挙げた。ロサンゼルス・エンゼルスのチームメイト、マイク・トラウト選手から三振を奪って試合を終わらせ、野球史に名を残した。

読解のツボ

結果を表す to 不定詞

1の前半部分 Two-way superstar Shohei Ohtani earned ... the ninth inning は、「大谷翔平選手が9回に日本のためにセーブを挙げた」と言う意味です。ここでは後半部分に注目しましょう。**主節に続く現在分詞 writing は、前に述べた事柄の次に生じたことを表します。**セーブを挙げた結果、「彼の居場所を野球史に書き込んだ」→「野球史に名を残した」となります。

続く by 以降の striking out Los Angeles Angels teammate Mike Trout「ロサンゼルス・エンゼルスのチームメイト、マイク・トラウト選手を三振にとることによって」どうなったかということが、to end the game という結果を表す to 不定詞で表されています。三振を奪った結果、「試合を終えた」となるのです。**結果を表す to 不定詞**について、見出しと本文で確認できたと思います。

Putin welcomes China's Xi to Kremlin amid continued fighting in Ukraine

—— AP, 2023.3.22

Russian President Vladimir Putin warmly welcomed Chinese leader Xi Jinping to the Kremlin on March 20, sending a powerful message to Western leaders that their efforts to isolate **Moscow** over the fighting in Ukraine have **fallen short**.

Xi's trip **showed off** Beijing's new diplomatic **swagger** and gave a political lift to Putin just days after an international **arrest warrant** was **issued** for the Kremlin leader on war crimes charges related to Ukraine.

(72 words)

☐ Kremlin　ロシア政府（官邸）
☐ Moscow　ロシア政府
☐ fall short　予想に満たない
☐ show off　〜を誇示する
☐ swagger　これ見よがしの態度、自慢
☐ arrest warrant　逮捕状
☐ issue　〜を発行する

Check

amid 　〜の中で、〜のさなかに

amidはmiddleと共通の語源を持ち、古英語のon middan（真ん中に）に由来した語で、in the middle ofと同じ意味です。英字新聞ではこの語が頻繁に使われます。

ウクライナ戦争のさなか、
プーチン露大統領が習主席を歓迎

　ロシアのウラジーミル・プーチン大統領は3月20日、中国の習近平国家主席を政府官邸に温かく迎えた。ウクライナでの戦闘をめぐってロシア政府の孤立化を図る欧米諸国の指導者に向けて、その努力は報われていないという強力なメッセージとなった。

　習氏の訪問は中国政府の新たな外交的意気込みを示し、プーチン氏に政治的な後押しを与えた。プーチン大統領には数日前にウクライナに関する戦争犯罪容疑で国際逮捕状が出されている。

読解のツボ

同格の that

　英字新聞では**発言内容を報道する際に、同格の that がよく用いられます**。1 を順に見ていきましょう。sending ... の分詞構文で、プーチン大統領が習主席を温かく迎えたその「**結果**」や「**影響**」が示されています。sending a powerful message to Western leaders（欧米諸国の指導者たちに強いメッセージを送った）とあり、そのメッセージの内容が that 以下で説明されています。主語 their efforts to isolate Moscow over ... Ukraine（ウクライナでの戦闘をめぐってロシア政府を孤立させる欧米諸国の取り組み）が、have fallen short（達成されていない、期待にそぐわない）であると述べられています。Moscow はロシアの首都ですが、英字新聞では**首都名がその国の政府を示すことがあります**。

April

Level 1

Tokyo Disneyland celebrates 40th anniversary
東京ディズニーランドが開業40周年

Musk's Twitter flips logo to shiba inu dog
マスク氏所有のツイッター、青い鳥をドージコインの柴犬に変更

Level 2

70% call for regulating development of AI bots
対話型AI、調査で7割が「規制必要」

Former teen member of Johnny & Associates says founder sexually abused him
故ジャニー喜多川氏による性的被害、元ジャニーズJr.が告発

Level 3

Composer Ryuichi Sakamoto mourned across the world
坂本龍一さんの死去を世界が追悼

Kishida unhurt after explosion at election campaign event
岸田首相演説直前に爆発、男逮捕

Tokyo Disneyland celebrates 40th anniversary

Kyodo, 2023.4.15

Tokyo Disneyland on April 15 celebrated 40 years since first opening its doors to visitors, [1]marking the **milestone** with colorful celebrations **featuring** Mickey Mouse and other **iconic** characters after weathering the COVID-19 **pandemic**. (33 words)

☐ milestone　節目、画期的な出来事

☐ feature　〜を呼び物にする

☐ iconic　象徴的な

☐ pandemic　疫病の世界的大流行

Check

weather　（嵐・困難など）を切り抜ける、乗り切る

weather には「天候」の他に「暴風雨、悪天候」という意味があります。そこから比喩的に派生して、動詞「嵐や困難を乗り越える」という意味でも使われるようになりました。

東京ディズニーランドが開業 40 周年

　東京ディズニーランドは 4 月 15 日、新型コロナウイルス感染症のパンデミックを乗り越え、来園者を初めて迎え入れてから 40 年がたったことを祝い、ミッキーマウスなどの象徴的なキャラクターが登場する色鮮やかな式典でこの節目を記念した。

読解のツボ

手段を表す前置詞の with

　たとえば Please write with a pen. は「ペンで書いてください」という意味ですが、このときの with a pen は書くときの**手段・道具**を表しています。

　1 の marking から始まる部分を見ていきましょう。mark the milestone は「節目を記念する」という意味で、分詞構文を使って主節の「東京ディズニーランドが 40 周年を祝った」結果、何が生じたのかを示しています。**分詞構文が「結果」や「影響」を表す**ものがここでも出てきましたね。さらに with 以下で、色鮮やかな式典で記念したことが示されています。そして、colorful celebrations は featuring 以下によって詳しく説明されています。「ミッキーマウスなどの象徴的なキャラクターが登場する色鮮やかな式典」という手段でその日を記念した、となります。

Musk's Twitter flips logo to shiba inu dog

———————————— Reuters, 2023.4.4

Dogecoin's shiba inu dog replaced Twitter's blue bird as the social media company's logo on April 4, helping the **meme coin** add  as much as $4 billion (¥524 billion) to its market value. Musk, who is ranked the second-richest person in the world by *Forbes*, is a **vocal proponent** of **cryptocurrencies** and has heavily influenced prices for **dogecoin** and **bitcoin** in the past. (63 words)

- ☐ meme coin ★インターネット
  ミームを使った暗号資産
- ☐ vocal 主張が強い
- ☐ proponent 支持者
- ☐ cryptocurrency 暗号通貨
- ☐ dogecoin ★柴犬「ドージ」
  をロゴにする仮想通貨
- ☐ bitcoin ★仮想通貨の一つ

Check

meme 拡散されること

イギリスの生物学者 Richard Dawkins の造語で、生物の遺伝子のような再現・模倣を繰り返して受け継がれていく社会習慣・文化という意味です。そこからインターネット上の情報が模倣・繰り返され、拡散されることを意味するようになりました。

マスク氏所有のツイッター、
青い鳥をドージコインの柴犬に変更

　ドージコインの柴犬が、4月4日にツイッターの青い鳥に変わってこのソーシャルメディア企業（ツイッター（当時）のこと）のロゴになり、このミームコイン（ドージコインのこと）の市場価値を40億ドル（5,240億円）に押し上げた。

　『フォーブス』誌によって世界で2番目に裕福な人物にランキングされているマスク氏は、声高に暗号通貨を支持しており、これまでドージコインとビットコインの価格に大きな影響を与えてきた。

読解のツボ

固有名詞を説明する関係代名詞節

　　固有名詞を説明するために関係代名詞を続けるときには、〈カンマ＋関係代名詞〉で表します。英字新聞の場合、固有名詞を説明する関係代名詞節は挿入的に用いられます。2 でも Musk[, who is ranked the second-richest person in the world by *Forbes*,] is a vocal proponent of cryptocurrencies のように ［　］ の関係代名詞節が挿入されています。「『フォーブス』誌によって世界で2番目に裕福な人物にランキングされている」という意味です。

　　そして、この文の最後に出てくる in the past は現在完了形と共に用いられているので「これまで」という意味になります。ちなみに、過去形と用いられると「過去に、昔は」という意味になります。

70% call for regulating development of AI bots

Kyodo, 2023.4.30

The Japanese public harbors concerns about the rapidly spreading use of AI chatbots, with 69.4% calling for **stricter** regulation on

the development of artificial intelligence, a Kyodo News poll showed April 30.

The result comes as countries have been discussing the need for international standards to prevent the **misuse** of emerging technologies such as ChatGPT, which have **sparked** fears of unauthorized collection of personal data. (65 words)

☐ strict　厳しい　　☐ misuse　悪用　　☐ spark　～を引き起こす

Check

harbor　犯人をかくまう、好ましくない感情を抱く

名詞では「港」や「入り江」を表しますが、元々は「宿泊施設」を意味する語です。「船が宿泊する場所」→「港」となり、さらに動詞が派生して、何かを囲い込むことからこうした意味になりました。

対話型 AI、調査で 7 割が「規制必要」

　日本の国民は、急速に拡大する対話型人工知能の使用について懸念を抱いており、69.4% が人工知能の開発への規制強化を求めていることが 4 月 30 日、共同通信の調査でわかった。

　この結果は、各国がチャット GPT といった新興技術の悪用防止に向けた国際的な基準の必要性を話し合う中で出された。このような新興技術については、無許可で個人情報を収集しているという懸念が生じている。

読解のツボ

関係代名詞の非制限用法

　英字新聞で〈カンマ＋関係代名詞〉は非制限用法の関係詞として①固有名詞の説明、②先行詞についてもう少し詳細な説明を加えるときに用いられます。ここでは②のパターンです。まずは 2 の前半から見ていきましょう。The result comes は「結果が出た」という意味ですが、その後ろの as は現在完了進行形と共に用いることで「〜している中で」という「時」の意味を表します。

　the need for international standards（国際基準の必要性）を to prevent 以下の to 不定詞で「新技術の悪用を防止するための」と説明しています。そして emerging technologies について**詳細な説明を付け加えているのが、〈カンマ＋which〉の関係詞節**です。新興技術が許可を得ることなく個人情報を収集している懸念があるという問題が示されています。

Former teen member of Johnny & Associates says founder sexually abused him

— Kyodo, 2023.4.12

A former member of Japan's top male talent agency made an **explosive** claim of sexual abuse against Johnny Kitagawa on April 12.

Kauan Okamoto, a 26-year-old Japanese Brazilian singer-songwriter, said Kitagawa sexually abused him many times when he was a **young teen**.

Kitagawa was an important **figure** in Japan's entertainment industry. He founded Johnny & Associates, which **shot** groups like SMAP and Arashi **to fame**. Kitagawa died in 2019.

(69 words)

☐ abuse　〜に性的虐待を加える　☐ figure　人物

☐ explosive　衝撃的な　☐ shoot ~ to fame　〜を一躍有

☐ young teen　10 代前半　　名にする

Check

abuse　悪用、虐待

abuse は ab と use に分けることができます。use はラテン語の「使用する」に由来しています。ab はラテン語の「離れて」＋ use「使う」→「通常の使用から離れている」から、今日の「悪用、虐待」の意味になりました。

故ジャニー喜多川氏による性的被害、元ジャニーズ Jr. が告発

日本トップの男性タレント事務所の元メンバーが 4 月 12 日、ジャニー喜多川氏に対して性的被害を訴える衝撃的な告発をした。

日本とブラジルにルーツを持つ 26 歳のシンガーソングライター、岡本カウアンさんは、彼が 10 代前半に喜多川氏から何度も性的に虐待を受けたと述べた。

喜多川氏は日本のエンターテインメント業界の重要人物だった。彼はジャニーズ事務所を設立し、SMAP や嵐といったグループを一躍有名にしたが、2019 年に亡くなった。

読解のツボ

ハイフンでつないで形容詞を作る

英字新聞では**単語をハイフンでつないで形容詞とする、いわゆる群形容詞**が頻繁に用いられます。たとえば the largest beer-consuming country のように、名詞の beer と現在分詞の consuming をハイフンでつなぐことで country を修飾する形容詞となり「最大のビール消費国」という意味になります。2 の a 26-year-old Japanese Brazilian singer-songwriter では、「26 歳の」と名詞を修飾する形容詞として 26-year-old が用いられています。このように、**英字新聞では初出の人物について、それがどのような人であるのかについて、年齢、出身、職業などを表す語句が挿入されます。**

said 以下は本来、〈said that s + v〉としますが、接続詞の that が省略されています。

Composer Ryuichi Sakamoto mourned across the world

———— Kyodo, 2023.4.3

The death of renowned composer and musician Ryuichi Sakamoto sparked an **outpouring** of grief and tributes April 3 from **contemporaries** and fans all over the world.

Sakamoto, who died on March 28 at the age of 71, led a **multifaceted** career in which he played keyboards for the legendary electronic music band Yellow Magic Orchestra and won an Oscar and Grammy for **scoring** the 1987 movie *The Last Emperor*.

(69 words)

☐ composer　作曲家
☐ mourn　〜を追悼する
☐ outpouring　あふれること

☐ contemporary　同年輩の人
☐ multifaceted　多角的な
☐ score　〜用に作曲する

Check

renowned　有名な

renown（有名）は繰り返しを表す re と、名前を意味する nown（元は nom）から成ります。nom は name の語源で、同じ語源の単語には、nominate（指名する）、agnomen（あだ名）、ignominy（不名誉）などがあります。renown は「繰り返し名前が出る」→「有名」となり、この形容詞形が renowned です。

坂本龍一さんの死去を世界が追悼

　著名な作曲家で音楽家の坂本龍一さんの死去により、4月3日には世界中の同じ時代を過ごした人々とファンからの悲しみと追悼があふれた。

　3月28日に71歳で亡くなった坂本さんは多様な経歴を持ち、伝説的なエレクトロニック・ミュージックバンド「イエロー・マジック・オーケストラ（YMO）」でキーボードを演奏した他、1987年の映画『ラスト・エンペラー』への楽曲提供ではアカデミー賞とグラミー賞を受賞した。

読解のツボ

〈前置詞＋関係代名詞〉をしっかり捉えよう

　第2段落はまず、坂本氏について挿入句で「3月28日に71歳で亡くなった」と説明しています。それに続く2は、〈先行詞（名詞）＋前置詞＋関係代名詞＋主語＋動詞〉という語順です。このとき、**関係代名詞（which）に先行詞の名詞（a multifaceted career）を代入して考えるとスムーズに理解できる**でしょう。

　「坂本氏は多様な経歴を持っていた」という文に続くin which を見た時点で「その多様な経歴の中で」と読み替えて意味を捉えます。その経歴の中で he played keyboards「彼はキーボードを演奏した」ということです。さらに演奏していたバンドについて記述が続きます。関係詞を含む文は返り読みせずに読んでいく練習をしましょう。このパターンは英字新聞では多く出てくるので、徐々に慣れていけるはずです。

Kishida unhurt after explosion at election campaign event

———————————— Kyodo, 2023.4.15

Prime Minister Fumio Kishida was unhurt after a man threw a **cylindrical** object that exploded ahead of a **stump speech** he was due to make during a visit to Wakayama Prefecture on April 15, less than a year after former Prime Minister Shinzo Abe was **fatally** shot during election campaigning.

Footage by NHK showed the suspect holding another silver cylinder as he was **wrestled to the ground** by two nearby civilians and police officers.

(74 words)

☐ election campaign　選挙運動
☐ cylindrical　筒状の
☐ stump speech　街頭演説
☐ fatally　致命的に
☐ footage　映像
☐ wrestle ~ to the ground　～を地面に組み伏せる

> **Check**
>
> Kishida **(was) unhurt** after **(an)** explosion at **(an)** election campaign event
>
> 見出しで〈主語＋ be 動詞＋形容詞〉の文型を用いる場合、be 動詞が省略されます。ここでも主語 Kishida の後には形容詞の unhurt が続いています。冠詞も省略されています。

岸田首相演説直前に爆発、男逮捕

　岸田文雄首相が 4 月 15 日に和歌山県を訪問中に予定されていた街頭演説の前に、男性が投げた筒状の物体が爆発したが、首相にけがはなかった。安倍晋三元首相が選挙期間中に撃たれて殺害されてからまだ 1 年未満である。

　容疑者が近くの民間人 2 人と警察官らによって取り押さえられていたときにもう 1 本の銀色の筒状のものを持っているのが NHK の映像に映っていた。

読解のツボ

関係代名詞の省略に気づく

　1 は Prime Minister Fumio Kishida was unhurt（岸田首相は無傷だった）が主節です。その後の after は接続詞で従属節が続き、a man が主語、threw が述語動詞、a cylindrical object が目的語で「男性が筒状の物を投げた」となります。直後に that があり、動詞の exploded が続いていることから、**that が主格の関係代名詞で先行詞が a cylindrical object** だということがわかります。関係代名詞節が筒状の物体について具体的に説明しています。

　そして a stump speech の後ろに主格の代名詞 he が出てきたことで、ここから a stump speech を説明する文が始まると考えます。つまり、目的格の関係代名詞が省略されています。英字新聞では目的格の関係代名詞は省略されますので、**文中に〈名詞＋ s ＋ v〉が出てきたら関係詞の省略**の可能性を考えて読みましょう。

May

Nepal celebrates 70 years of Everest conquest

———— AP, 2023.5.29

Nepal's government **honored** record-holding climbers May 29 during celebrations of the first **ascent** of Mount Everest 70 years ago.

The celebrations come amid growing concern about the effects of climate change on the world's tallest mountain.

Sherpa guides, officials and hundreds of people from the **mountaineering** community attended a **rally** in Kathmandu.

(52 words)

- □ conquest　征服
- □ honor　～をたたえる
- □ ascent　登頂
- □ Sherpa　シェルパ、山岳ガイド
- □ mountaineering　登山
- □ rally　集会

Check

amid growing concern about ~
～への懸念が高まる中で

英字新聞ではよく出る表現です。about の代わりに over を用いることもあります。ここでは「気候変動の影響への懸念が高まる中で」となります。他にも as concern grows about ~ という接続詞の as を用いた表現も見られます。

エベレスト初登頂 70 周年で式典

ネパール政府は 5 月 29 日、エベレスト初登頂 70 周年を祝う式典で、記録を持つ登山家たちをたたえた。

今日の祝賀式典は、この世界最高峰の山（エベレストのこと）における気候変動の影響についての懸念が高まる中で行われた。

シェルパガイドと国の職員たち、登山界の数百人の人々がカトマンズでの集会に参加した。

読解のツボ

日付の on の省略

英字新聞の特徴の一つに**「日付を表す前置詞 on」の省略**が挙げられます。1 に出てくる May 29 は本来であれば on May 29 ですが、on を省略した形が用いられています。ある研究によると、新聞記事で日付の on を省略する傾向にあるのはアメリカ系の新聞であり、イギリス系の新聞では省略しない、とされています。また、**直前に固有名詞がある場合は紛らわしいため、米英問わず on は省略されません**。次の記事の冒頭でも Japan on May 8 となっています。

そして record-holding「記録を持つ」は、**名詞と現在分詞をハイフンでつないだ形容詞（群形容詞）**です。この形は以前にも取り上げましたね。

COVID-19 downgraded to same level as flu

—— Kyodo, 2023.5.8

Japan on May 8 downgraded COVID-19 to "Class 5," the same category as seasonal influenza, and greatly **relaxed** its related **health measures**, marking a major shift in its approach after three years of **dealing with** the coronavirus.

The **reclassification** of COVID-19 to Class 5 means decisions on prevention measures are now **up to** individuals and businesses.

(56 words)

☐ relax　〜を緩和する　　　　☐ reclassification　再分類

☐ health measure　健康対策　　☐ up to 〜　〜次第

☐ deal with 〜　〜に対処する

Check

COVID-19 (was) downgraded to **(the)** same level as **(the)** flu

見出しでは動詞の過去分詞形は受動態を意味するので、ここでは was が省略されています。また、冠詞（ここでは the）も省略されます。

新型コロナ、インフルエンザと同じ 5 類に引き下げ

日本は 5 月 8 日、新型コロナウイルス感染症（COVID-19）を季節性インフルエンザと同じ分類である 5 類に引き下げ、関連する感染対策を大幅に緩和した。新型コロナウイルスに対応してきた 3 年間を経て、日本の対処方法における大きな変化となった。

COVID-19 の 5 類への分類し直しで、感染予防対策に関する判断は今後、個人と事業所に委ねられることになる。

読解のツボ

the same が出てきたら「何と同じ?」と考える

Japan on May 8 downgraded は、主語の Japan と述語動詞 downgraded の間に on May 8 という日付がはさまれています。これも日付に関する英字新聞の特徴的な文体です。

downgraded は「〜を格下げする、〜の重要度を下げる」という意味ですが、この語を見たらその後に「何がどのレベルからどのレベルまで格下げされたのか」が出てくると予測して読みます。頭の中で〈downgrade O from A to B〉「O を A から B に引き下げる」という形をイメージしましょう。ここでは、COVID-19 to "Class 5," と出てきました。文脈上 from Class 2（2 類から）であることはわかるので書かれていません。

続く the same category「同じカテゴリー・分類」も同様です。**the same が出てきたら「何と同じ?」と考えると**スムーズです。as が出てきて「as 以下と同じカテゴリーである」と読むことができます。

Skin patch helps toddlers' peanut allergies, study shows

AP, 2023.5.11

An experimental skin patch is **showing promise** for the treatment of toddlers who are highly **allergic** to peanuts — training their bodies to handle an accidental bite.

Peanut allergy is one of the most common and dangerous food allergies. Parents of allergic **tots** are constantly **on guard** against **exposures** that can turn birthday parties and play dates into emergency room visits.

(60 words)

☐ toddler　幼児　　　　　　☐ tot　幼児

☐ show promise　見込みがある　☐ on guard　用心して

☐ allergic　アレルギーのある　☐ exposure　接触

> **Check**
>
> **(A)** Skin patch helps toddlers' peanut allergies, **(a) study shows**
>
> ---
>
> 〈A study shows that s+v〉で「研究により s が v であることが示された」という意味です。見出しでは〈s+v ..., study shows〉という語順になり、さらに冠詞が省略されます。

皮膚パッチで幼児のピーナッツアレルギーを治療

　試験的な皮膚パッチが、深刻なピーナッツアレルギーの幼児の治療で有効性が認められつつある。これは過失による摂取に対処できるように体を訓練するものだ。

　ピーナッツアレルギーは、最も一般的で、また重篤な症状を引き起こす食物アレルギーの一つだ。アレルギーのある幼児の親たちは、誕生日パーティーや遊びの予定が救命救急室への訪問になりかねないため、子供たちがそれを摂取しないよう常に気を張っている。

読解のツボ

先を予測しながら読む

　1 は Parents of allergic tots（アレルギーのある幼児の親たちは）が主語、are constantly on guard 以下が述部になっています。on guard は「用心して」という意味ですが、against 以下で「何に対する用心であるか」を表し、ここでは「常に接触（摂取）に対して警戒をしている」となります。**「接触（摂取）」がどのようなものかについて関係詞の that 以下で説明**されています。この can は「〜できる」ではなく**「〜の可能性がある」**と読むと文脈に合います。**turn は〈turn A into B〉で「A を変えて B にする」**ことを意味しますので、「何がどのように変わるのか」を考えながら読み進めます。すると、birthday parties and play dates（誕生日パーティーや遊びの予定）の後にちゃんと into が出てきて、into emergency room visits「救急救命室への訪問」に変わる可能性がある、と読み取ることができます。

G7 leaders share aim to achieve nuclear-free world: Kishida

—— Kyodo, 2023.5.21

Japanese Prime Minister Fumio Kishida on May 21 **touted** the achievements of the Group of Seven summit in Hiroshima, saying the leaders from the advanced **economies** agreed to work toward a world without nuclear weapons and to **stand by** Ukraine.

The Hiroshima Vision on Nuclear Disarmament released May 19 **affirmed** the **Nuclear Non-Proliferation Treaty** as the "**cornerstone**" for **disarmament**.

(59 words)

- [ ] tout 〜を盛んに宣伝する
- [ ] economy 経済国、経済圏
- [ ] stand by 〜 〜を支援する
- [ ] affirm 〜を断言する
- [ ] Nuclear Non-Proliferation Treaty 核兵器不拡散条約
- [ ] cornerstone 礎石、礎
- [ ] disarmament 軍縮

> **Check**
>
> (The) G7 leaders shared (the/their) **aim** to achieve (a) nuclear-free world: Kishida
>
> この aim は名詞で「目標」です。後ろの to 不定詞が「目標」の内容を説明しています。この「同格の to 不定詞」が続く場合、その前の名詞は、to 不定詞が続く動詞や形容詞から派生した名詞の場合が多くあります。

G7 広島サミット閉幕、
岸田首相「核なき世界へ」理想共有

　5 月 21 日、日本の岸田文雄首相は広島での G7 首脳会談の成果を喧伝し、先進経済国の首脳らが核兵器のない世界に向けて協力してウクライナを支援することに合意したと述べた。

　5 月 19 日に発表された核軍縮に関する G7 首脳の広島ビジョンは、核兵器不拡散条約を軍縮の「礎石」として断言した。

読解のツボ

〈SVO as X〉のパターンに慣れよう

　1について、まずは文の主語から確認していきましょう。The Hiroshima Vision on Nuclear Disarmament が主語ですが released は述語動詞ではありません。この released は過去分詞で前の名詞を修飾し、冒頭から May 19 まで、「5 月 19 日に発表された核軍縮に関する広島ビジョン」が主語になります。

　述語動詞は affirmed で、**その目的語が** the Nuclear Non-Proliferation Treaty です。これは〈S＋日付＋V〉のパターンがわかっていると、May 19 の後ろが動詞になることが予測できます。そして、as the "cornerstone" for disarmament と続いています。この **as は前置詞で「〜として」** という意味を持ち、前の名詞を補足説明しています。ここでは「軍縮の『礎石』として断言した」となります。

7,300 health insurance entries erroneously linked to My Number IDs

—————————— Kyodo, 2023.5.13

Around 7,300 **cases involving** My Number national identification cards linked to health insurance data have been found to have contained erroneously registered information, the **health ministry** has said.

Such errors have led to five cases in which users' medical information has been accessible by others between October 2021 and November 2022, a health ministry survey showed May 12.　　　　(58 words)

☐ health insurance　健康保険
☐ erroneously　誤って
☐ case　事例
☐ involve　〜に関係する

☐ health ministry　厚生労働省
★ 正 式 名 称 は Ministry of Health, Labour and Welfare

Check

A lead to B　AはBをもたらす

2 の 〈A led to B〉 は 「A は B をもたらした」 という原因と結果を表す表現です。All roads lead to Rome.（すべての道はローマに通ず）のように 「A は B に通じる」 のような意味もあります。

「マイナ保険証」に他人の情報登録、7,300件

　健康保険データをひも付けたマイナンバーカード（「マイナ保険証」）に、誤って登録された情報が入っていたケースが約7,300件あったと、厚生労働省が明らかにした。

　このような誤登録により、2021年10月から2022年11月にかけてカード利用者の医療情報を別人が閲覧できたケースが5件あったことが、5月12日に厚労省の調査でわかった。

読解のツボ

分詞や不定詞で長くなった文を読み解く

　過去形と過去分詞形が同じ形をしていると、一瞬、どちらなのか判断に迷うことがあるかもしれません。1の文を見てみましょう。読み進めてlinkedが見えたところで、いったん区切って考えます。Around 7,300 casesが名詞句になっていて、それをinvolving ... cardsが修飾しています。A involving Bは「Bを伴うA」や「Bに関するA」という意味でよく使われます。

　linkは〈link A to B〉の形で使われる他動詞です。ここでは直後にAに当たる目的語がないため、**linkedは過去分詞の形容詞用法で前のcardsを修飾している**と判断します。dataまでが主語で、have been foundが述語動詞です。findは受動態で〈be found to do〉のように使われ、「〜であることがわかった、判明した」という意味になります。to不定詞部分では「（7,300件に）誤って登録された情報が含まれていることがわかった」ということが示されています。

King Charles III crowned in ceremony mixing history, change

Reuters, 2023.5.7

King Charles III was **anointed** and crowned May 6 in Britain's biggest ceremonial event for seven decades, a display of **pomp** and **pageantry** that sought to **marry** 1,000 years of history **with** a **monarchy** fit for a new era.

In front of a **congregation** including about 100 world leaders and a television audience of millions, the **Archbishop** of Canterbury slowly placed the 360-year-old St. Edward's Crown on Charles's head as he sat upon a 14th-century throne in Westminster Abbey.

(79 words)

- □ anoint　人に聖油を注ぐ
- □ pomp　荘厳、壮麗
- □ pageantry　華麗
- □ marry A with B　AとBをう
- まく結びつける・
- □ monarchy　王室
- □ congregation　集まった人々
- □ Archbishop　大主教

> **Check**
>
> King Charles III **(was) crowned** in **(a)** ceremony mixing history **and** change
>
> 英字新聞の見出しはさまざまなものが省略されたり、短い語や記号に置きかえられたりします。過去分詞 crowned の前の was や冠詞 a が省略され、カンマは and の代わりをしています。

伝統と変化の英国王チャールズ3世戴冠式

イギリス国王チャールズ3世は5月6日、70年ぶりのイギリス最大の式典で聖油を注がれ、戴冠された。1,000年の歴史と新時代に合った王室とを結びつけようとする荘厳さと華麗さが示された。

世界の首相ら約100人と数百万人のテレビ視聴者を含む集団を前にして、チャールズ国王はウェストミンスター寺院で14世紀の玉座に座り、360年の歴史のある聖エドワード王冠をカンタベリー大主教がチャールズ国王の頭上にゆっくりと置いた。

読解のツボ

説明を重ねるスタイルに慣れよう

冒頭から読んでいきましょう。King Charles III が主語、was anointed and crowned が述語動詞で「チャールズ3世は聖油を注がれ、戴冠された」となります。anoint は動詞で「油を注いで清める、油を塗る」という意味です。「軟膏」を表す ointment から派生しました。

Britain's biggest ceremonial event for seven decades は「70年間で、イギリスで最も大きな式典」、つまり「こんな盛大な式典は70年ぶりである」ということです。a display of 以下で、前の event を補足説明しています。pomp and pageantry は「壮麗と華麗」という決まり文句です。次の **that は主格の関係代名詞**です。sought to marry は「結びつけようと努めた」という意味になります。fit は〈名詞＋ fit for ~〉で「～に見合った名詞」という意味です。この fit for ~ は形容詞句で名詞を修飾しています。

June

Brazil seizes biggest haul of illegal shark fins

———— Reuters, 2023.6.19

Brazilian authorities said June 19 they had seized 28.7 metric tons of illegally obtained shark fins set for export to Asia.

Environment protection agency Ibama estimated the haul represented the deaths of some 10,000 sharks of two species, the **blue shark** and the **shortfin mako shark**, which entered Brazil's national list of **endangered species** in May.

(56 words)

☐ seize ～を押収する
☐ haul 密輸品、違法の品
☐ blue shark ヨシキリザメ

☐ shortfin mako shark アオザメ
☐ endangered species 絶滅危惧種

Check

Brazil **seized (its)** biggest haul of illegal shark fins

見出しでは、極力語数を減らす工夫がなされます。ここではブラジルの代名詞 it の所有格 its が省略されています。また、現在形は過去または現在完了を表します。

ブラジル、違法フカヒレ過去最大 29 トンを押収

　ブラジル当局は 6 月 19 日、違法に取得されたアジアへの輸出用のフカヒレ 28.7 トンを押収したと発表した。

　環境保護機関の環境・再生可能天然資源院（IBAMA）は、この密輸品はヨシキリザメとアオザメという 2 つの種の約 1 万頭の死亡に相当すると見積もった。この 2 種のサメは 5 月にブラジルの絶滅危惧種リストに入った。

文構造をしっかり把握する

　英字新聞は説明を付加していくスタイルであることはこれまでも見てきました。1 でも 1 文が長くなっているのはいくつも情報が出てくるからです。Environment protection agency Ibama が主語、estimated が述語動詞です。〈estimate ＋ that 節〉で「…だと見積もる、推定する」となりますが、英字新聞ではこのように**名詞節を作る接続詞の that が省略される**ことがあります。従属節内では、the haul が主語、represented が動詞です。represent には「〜を代表する、表す」の他に「〜に相当する」という意味があり、ここでは後者の意味です。目的語は the deaths of some 10,000 sharks of two species。〈some ＋ 数〉で、「約〜、ほぼ〜」という意味です。この後に**挿入句**と**関係詞節**が続いているので文が長くなっています。どちらも two species について**補足説明している**と考えましょう。

'Last' Beatles record to be released this year thanks to AI, Paul McCartney says

— Reuters, 2023.6.13

A "last" Beatles song, featuring the voice of **late** member John Lennon, will be released this year thanks to the use of artificial intelligence, Paul McCartney has said.

In an interview with BBC Radio 4 that aired on June 13, McCartney did not **name** the track but said the technology was used on "a demo that John had, that we worked on."

(62 words)

☐ thanks to ~ 〜によって   ☐ late 故〜

☐ AI 人工知能 ★ = artificial intelligence   ☐ name 〜の名前を挙げる

Check

(The) 'Last' Beatles record **(is) to be released** this year thanks to AI, Paul McCartney says

見出しの〈主語＋to不定詞〉は「Sが〜する予定・計画中である」ことを表します。ここでは、最後のレコードが年内中に発表される「予定」だということです。冠詞も省略されています。

写真：Scott Garfitt/Invision/AP

ビートルズ「最後のレコード」年内発表、AI で J・レノンの声抽出

故ジョン・レノンの声が入った「最後」のビートルズの曲が AI の使用により今年発売される予定だと、ポール・マッカートニー氏が語った。

6 月 13 日に放送された BBC ラジオ 4 のインタビューで、マッカートニー氏は曲名を明かさなかったものの、AI 技術を「ジョンが持っていて、僕らが取り組んだデモテープ」に使用したと話している。

先行詞の後ろに 2 つの関係代名詞がある形

1 は冒頭 In an interview から June 13 までをひとまとまりの前置詞句として捉えましょう。that aired on June 13 は an interview を先行詞とする関係代名詞節です。後に続く部分は、McCartney did not name the track but まで読んだところで〈not A but B〉「A ではなく B である」だと判断します。重要な内容が B で示されます。said (that) the technology was used on "a demo that John had, that we worked on." のダブルクオーテーション（引用符）で囲まれた直接話法の部分は、a demo が that John had と that we worked on という 2 つの関係代名詞節の先行詞になっています。これはカンマが and の役割をしていると考えます。つまり〈先行詞＋関係詞 A and 関係詞 B〉という形です。「ジョンが持っていた、そして僕らが取り組んだデモテープ」という意味になります。

Sota Fujii becomes 2nd player in shogi history with 7 major titles

———————— Kyodo, 2023.6.1

Shogi prodigy Sota Fujii won the **prestigious** Meijin championship June 1, making him only the second player in the Japanese board game's history to hold seven major titles **simultaneously** after Yoshiharu Habu.

He also became the youngest Meijin title holder, breaking the previous record of 21 years, two months, set by Koji Tanigawa in 1983. Fujii holds seven of the game's eight major titles, with Takuya Nagase holding the last remaining title, Oza. (73 words)

☐ prestigious　名誉ある　　　　☐ simultaneously　同時に

> **Check**
>
> ### prodigy　天才
>
> prodigy はラテン語に由来し、元々「前兆」「みんなの知らないことを前もって話す」というような意味がありました。そこから、並外れた行為や業績を表す「神童、天才」という意味になりました。

藤井聡太、史上最年少名人&七冠

将棋の天才、藤井聡太氏は6月1日、名誉ある名人戦で優勝した。この日本のボードゲーム（将棋のこと）の歴史上、羽生善治氏に次いで2人しかいない7大タイトルを同時に保持する棋士となった。

藤井氏は最年少の名人タイトル保持者にもなり、1983年に谷川浩司氏が達成したかつての最年少記録の21歳2カ月を破った。藤井氏は8つのメジャータイトルのうち7つを保持している。永瀬拓矢氏が、残る最後のタイトル、王座を保持している。

読解のツボ

付帯状況の with

英字新聞では引き締まった文章にするために、分詞構文や付帯状況の with がよく使われます。 2 は Fujii holds seven of the game's eight major titles,（藤井氏は8つのメジャータイトルのうち7つを保持している）に続き with Takuya Nagase holding the last remaining title, Oza が出てきます。そこで、〈with 名詞＋ -ing 形〉を「名詞が〜しながら」と考えると、「永瀬拓矢氏が、残る最後のタイトルである王座を保持しながら」となり、うまくいきません。「そして〜している」という意味で、**〈with 名詞＋ -ing 形〉が先行する主節の補足的な状況を述べるときに使われる**ことがあります。ここでは、前出の「7つのメジャータイトルを保持している」について「そして、残りの1つは永瀬氏が持っている」と補足していると考えれば意味をつかめます。

US Supreme Court rejects affirmative action in university admissions

Reuters, 2023.6.29

The U.S. Supreme Court on June 29 **struck down race-conscious admissions** programs at Harvard University and the University of North Carolina, **effectively** prohibiting affirmative action policies long used to raise the number of Black, Hispanic and other **underrepresented** minority students on American campuses.

(43 words)

- □ Supreme Court （米）連邦最高裁判所
- □ affirmative action　積極的差別撤廃措置
- □ strike down ~　~（法・決定など）を違法・無効とする
- □ race-conscious　人種を意識した
- □ admission　入学（許可）
- □ effectively　事実上
- □ underrepresented　少数派の

> **Check**
>
> ### affirmative action
>
> affirmative action の affirmative は「肯定的な」「容認の」という意味を持つ形容詞ですが、アメリカ英語には「積極的な」という意味もあります。affirmative action は直訳すると「積極的行動」となりますが、積極的差別撤廃措置のことを表します。

米最高裁、人種を考慮した大学入学選考は違憲と判断

　米連邦最高裁判所は 6 月 29 日、ハーバード大学とノースカロライナ大学が採用している人種を考慮した入試選考は違憲であると判決を下した。これは事実上、アメリカのキャンパスに通うアフリカ系やヒスパニック系、その他の人種的少数派の学生を増やすため長年用いられてきた積極的差別是正措置を禁止するものである。

読解のツボ

主節の内容を補足説明する分詞構文

　The U.S. Supreme Court が主語、on June 29 が日付を表す副詞句、struck down が述語動詞です。strike down は「(決定・判決など)を取り消す、破棄する」という意味で、目的語は race-conscious admissions programs at Harvard University and the University of North Carolina（ハーバード大学とノースカロライナ大学が採用している人種を考慮した入試選考）です。

　カンマの後に副詞の effectively に続いて prohibiting affirmative action policies ... という**分詞構文**が出てきました。英字新聞では、**分詞構文は主節の内容を補足説明するときによく使われます**。「(最高裁判所は)積極的差別是正措置を事実上禁止する判決を下した」となります。続く副詞 long が過去分詞 used を修飾し、used は前にある affirmative action policies を修飾しています。to raise the number of ... は目的を表す to 不定詞です。「長らくアフリカ系やヒスパニック系（中略）の学生の人数を増やすために長年用いられてきた積極的差別是正措置」となります。

Diet passes controversial bill to revise immigration law

———— Kyodo, 2023.6.9

Parliament on June 9 passed a bill to revise an immigration and **refugee** law to enable **authorities** to <u>deport</u> individuals who repeatedly apply for **asylum status**, despite objections from some opposition parties. <u>**Opponents** to the legislation gathered in front of the Diet building in Tokyo in the rain, demanding the bill be **scrapped**, while opposition **lawmakers** criticized the ruling camp for having "**bulldozed**" the bill.</u> (65 words)

- □ controversial　異論の多い
- □ bill　法案
- □ refugee　難民
- □ authorities　当局
- □ asylum status　亡命資格

- □ opponent　反対者
- □ scrap　～を廃案にする
- □ lawmaker　立法者、議員
- □ bulldoze　～を強引に通す

Check

deport　～を強制送還する

deport の port はラテン語の「運ぶ」「運ぶ所」に由来します。de「遠くに・離れて」＋ port →「離れた所に運ぶ」→「国外追放・強制送還をする」という意味になります。ちなみに import は「中」に運ぶので「輸入」、export は「外」に運ぶので「輸出」です。

入管難民法改正案が可決、成立

　国会は 6 月 9 日、一部の野党からの反対をよそに、繰り返し難民申請する個人を当局が強制送還できるようにする入管難民法の改定法案を可決した。

　この法案に反対する人々が雨の中、東京の国会議事堂の前に集まって廃案を要求し、さらに野党の議員たちはこの法案を「強引に通した」ことについて与党陣営を批判した。

読解のツボ

接続詞の while

　2 は Opponents to the legislation が主語で、gathered が動詞、in front of ... in the rain が場所と状況を表す副詞句です。続く demanding the bill be scrapped は分詞構文で、従属節内の動詞が原形（be）になっています。demand の他に insist、suggest など **「要求」「主張」「提案」の意味を持つ動詞に続く節内の述語動詞は原形になります。**

　この後に while が出てきますが、主語に opposition lawmakers（野党）とあるので、文脈から **while を and とほとんど同じ意味の「（他方では）さらに、加えて」** と捉え「さらに、野党の議員たちは批判した」と読みます。

　接続詞の while には「〜する間に」という〈同時進行〉や、「一方では〜であるのに対し」「（他方では）さらに、加えて」という〈対比〉の意味があります。

Ukraine claims new gains in early phase of counteroffensive

———————————— Reuters, 2023.6.12

　Ukraine said June 12 its **troops** had recaptured a fourth village from Russian forces in **a cluster of settlements** in the southeast, where its forces have claimed gains in its long-anticipated counteroffensive.

　The task of ending Moscow's occupation of southern and eastern Ukraine is daunting, **given** Russia's **numerical superiority** in men, **ammunition** and air power, and the many months it has had to build deep defensive **fortifications**.

(67 words)

□ gain　獲得、勝利

□ counteroffensive　反転攻勢

□ troop　軍隊

□ a cluster of ~　一群の~

□ settlement　集落

□ given　~を考慮すると

□ numerical superiority　数的優位

□ ammunition　弾薬、攻撃手段

□ fortification　要塞、防御施設

> **Check**
>
> ### task　（困難な）仕事
>
> task には「しなければならない仕事、困難または不愉快なもの」という意味が含まれることがあります。その場合、a daunting task（きつい仕事）、a difficult task（困難な仕事）など、大変さを表す形容詞がつくことも。なお、an easy task（簡単な任務）のようにも使えます。

ウクライナ反転攻勢開始、ロシア軍拠点奪還

　ウクライナ政府は6月12日、南東部の集落で4つ目の村をロシア軍から奪還したと発表した。ウクライナ軍はこの地域で、待ち望まれてきた反転攻勢により勝利を収めていると主張してきた。

　ロシアによるウクライナ南部と東部の占領を終結させるという課題は非常に困難だ。人員、弾薬、航空戦力におけるロシアの数的優位や、ロシアが何カ月もかけて強固な防衛要塞を構築してきたことが理由だ。

読解のツボ

前置詞的に用いる given

　2の given は動詞 give の過去分詞形ですが、〈given＋名詞〉や〈given that s＋v〉で、「～と仮定すると、～を考慮すれば」という意味の定型表現です。この文は The task of ending ... Ukraine が主語で is が動詞、補語が daunting です。「ロシアによるウクライナ南部と東部の占領を終わらせる、という課題は相当困難だ」となります。

　続く given 以下で、直前に述べた「困難」についての「**判断の根拠**」が示されます。Russia's numerical superiority in men, ammunition and air power（人員、弾薬、航空戦力におけるロシアの数的優位）に加え、the many months (that) it has had to build deep defensive fortifications（ロシア [= it] が強固な防衛要塞を構築するためにかけた相当な時間）を考慮すると、ウクライナの南部と東部の奪還は相当困難だ、と主節の内容につながります。

July

写真：REUTERS

Iniesta shares love with fans in J. League sendoff

Kyodo, 2023.7.1

An emotional Andres Iniesta[1] spoke of the "love and respect" he received in Japan after playing his final match for J. League first-division side Vissel Kobe on July 1.

Fans remained packed inside Kobe's Noevir Stadium[2] after the 1-1 draw with Consadole Sapporo to **send off** the 39-year-old former Spain and Barcelona **great**, who joined Vissel in 2018.

(58 words)

☐ sendoff 送別 / 送り出す
☐ send off 〈人〉〈人〉を見送る、 ☐ great 偉人、大物

Check

An emotional Andres Iniesta 感極まったイニエスタ

本来は固有名詞に不定冠詞を付けませんが、上記のように〈冠詞＋形容詞＋人の名前〉で「〜な人」の意味を表します。たとえば an angry Hemingway なら「怒ったヘミングウェイ」です。

イニエスタ、神戸退団でファンに涙の別れ

感極まったアンドレス・イニエスタ選手は7月1日、J1リーグのヴィッセル神戸での最後の試合に出場した後、日本で彼が受け取った「愛と敬意」について語った。

ファンたちは、コンサドーレ札幌と1対1の引き分けになった試合の後、2018年にヴィッセル神戸に入団したこの39歳の元スペインとFCバルセロナの偉人（イニエスタ選手のこと）を見送るため、観客で埋め尽くされた神戸のノエビアスタジアムの中に残った。

読解のツボ

分詞形容詞と副詞用法の to 不定詞

2の Fans remained packed inside ... Stadium では、packed は過去分詞から派生した形容詞（分詞形容詞）で「混み合った・満員の」という意味です。〈S＋remain＋C〉で「SがCのままである」となります。「ファンがスタジアム内に満員のままであった」、つまりみんな残っていたという状況です。その後に出てくる to send off ... は to 不定詞の副詞用法となっています。ここでは、スタジアムに残った「目的」を to 不定詞が表し、「見送るためにファンたちがスタジアムに残った」と考えます。なお、出来事が左から右に時系列に沿って書かれていると考え、「帰らずに残り、…を見送った」というように「結果」の解釈も可能です。

Japan passport falls to 3rd place in global ranking; Singapore takes top spot

———— Kyodo, 2023.7.18

[1] The Japanese passport was once considered the world's most powerful passport. From 2018 to 2022, it was first or first equal in an **annual** ranking of passport power released by London-based **consultancy firm** Henley & Partners.

But it fell to third place in the latest survey released on July 18. Singapore's passport took **the top spot**.

(56 words)

□ annual 年1度の

□ consultancy firm コンサルティング会社

□ the top spot 首位 ★2位は同率でドイツ、イタリア、スペイン

Check

Japan's passport **fell** to 3rd place in (the) global ranking **and** Singapore **took** (the) top spot

---

見出しのセミコロンは and または but の意味で捉えます。ここでは、「世界ランキングで日本のパスポートが3位になった、そしてシンガポールが1位を獲得した」と and の意味で解釈します。また、現在形は過去または現在完了を表します。

パスポートランキング最新版
日本は３位に後退、シンガポールが首位に

　日本のパスポートはかつて世界で最も強力なパスポートだとみなされていた。2018 年から 2022 年まで、ロンドンを拠点とするコンサルティング会社ヘンリー＆パートナーズが年１度発表するパスポートランキングで、日本のパスポートは１位または同率１位であった。

　しかし、7 月 18 日に発表された最新の調査で日本は３位に後退した。シンガポールのパスポートが１位を獲得した。

読解のツボ

consider の語法

　consider は 〈consider O to be C〉で「O を C だと**思う・みなす**」という意味ですが、新聞記事のように単語数を抑える場合は、**to be が省略**されて〈consider O C〉の形で用いられます。また、１の英文のように O を主語にした受動態〈S be considered C〉で「S が C だと**みなされる**」という表現も頻出します。

　なお、The Japanese passport was once considered のように was と considered の間に副詞の once がはさみ込まれると、「日本のパスポートはかつて〜とみなされていた」という意味になります。ここで過去形が用いられていることで、現在とは切り離された事実が述べられていることがわかります。つまり、今では世界で最も強力なパスポートではないということも含意されているのです。

Meta launches Twitter rival app Threads

AFP-Jiji, 2023.7.17

Facebook behemoth Meta on July 5 launched Threads, a text-based rival to Twitter, creating the biggest **threat** yet to the **embattled** platform owned by Elon Musk.

"Let's do this. Welcome to Threads," wrote Meta chief executive and Facebook founder Mark Zuckerberg in his first post on the **nascent** platform.   (49 words)

□ launch ～（事業）を立ち上げる

□ threat 脅威

□ embattled 四面楚歌の、難問を抱えた

□ nascent 新生の

Check

behemoth 巨大企業

「巨大なもの」や「巨大企業」を表す名詞で、聖書の「ヨブ記」に出てくる巨獣に由来します。他にもギリシャ神話巨人のティタン（タイタン）神族に由来する titan も「巨大企業」を表す語として用いられます。

　写真提供：Adrien Fillon／ZUMA Press Wire／共同通信イメージズ

米メタ、ツイッター競合アプリ「スレッズ」公開

　フェイスブックを運営する巨大企業メタは7月5日、テキストベースのツイッターの競合となる「スレッズ」を公開し、イーロン・マスク氏が所有する問題続出のプラットフォーム（ツイッターのこと）に対して最大の脅威をもたらした。

　「やってみよう。ようこそ、スレッズへ」と、メタのCEOでフェイスブック創設者のマーク・ザッカーバーグ氏はこの新生プラットフォーム（スレッズのこと）で自身の最初の投稿として書いた。

読解のツボ

〈最上級＋ yet〉で最上級を強調する

　Facebook behemoth Meta on July 5 launched Threads, は〈主語＋日付＋述語動詞〉という語順になっていますね。「フェイスブックの（運営元の）巨大企業メタはスレッズを公開した」と解釈できます。

　a text-based rival to Twitter は Threads の同格表現です。続く creating 以降は「そして」という意味でつなげていく分詞構文で、「そして最大の脅威を作り出した」と読みます。

　その後の yet は **〈最上級＋ yet〉で「今までのところ一番だ」「これまでのところ一番だった」という意味**で使われます。「スレッズはイーロン・マスク氏が所有する問題続出のプラットフォーム（Twitter）に対して、これまでで一番の脅威をもたらした」という意味になります。

Mutiny didn't affect Ukraine fighting: Shoigu

Reuters, 2023.7.3

A brief mutiny by the Wagner **mercenary** group in June did not affect Russia's "special military operation" in Ukraine, Russian Defense Minister Sergei Shoigu said July 3, making his first comments about the **short-lived rebellion**.

Wagner fighters took over the southern Russian city of Rostov and advanced toward Moscow on June 24 as their leader Yevgeny Prigozhin demanded the **dismissal** of Shoigu and chief of the general staff Valery Gerasimov.

(70 words)

☐ mutiny　反乱

☐ mercenary　雇い兵

☐ short-lived　束の間の

☐ rebellion　反乱

☐ dismissal　解雇

Check

(The) mutiny didn't affect (the) Ukraine fighting: **Shoigu**

見出しで、コロンの次に人や組織などが来た場合、〈発言内容：発言者〉を表します。ここでは、ショイグ氏が「反乱はウクライナとの戦いに影響を与えなかった」という談話を発表したことが表されています。

反乱は「軍事作戦」に影響なし、とショイグ露国防相

雇い兵グループ「ワグネル」が6月に起こした短期間の反乱は、ウクライナでのロシアの「特別軍事作戦」に影響を与えなかったと、セルゲイ・ショイグ国防相は7月3日に述べ、すぐに終わった反乱について初めてコメントした。

ワグネルの雇い兵たちは、ロシア南部のロストフの街を掌握し、6月24日にリーダーのエフゲニー・プリゴジン氏がショイグ国防相とワレリー・ゲラシモフ参謀総長の解任を要求して、モスクワに向かって進軍した。

読解のツボ

英字新聞に頻出の接続詞 as

接続詞の as については何度か確認しました（p. 43、55）。英字新聞では理由を説明するために as が用いられることが多くあります。**情報を次々に追加していく書き方**だからです。**出来事を述べてから理由を説明する**という流れです。ここでは、主節で「ワグネルの雇い兵たちは（中略）6月24日にモスクワに向けて進軍した」という出来事が示されます。そして as から始まる従属節を見たところで、その理由が提示されると考えます。as their leader Yevgeny Prigozhin demanded the dismissal of Shoigu and ... Gerasimov（リーダーのエフゲニー・プリゴジン氏がショイグ国防相とゲラシモフ参謀総長の解任を要求したので）が、進軍の理由ということです。このように as から始まる節が理由を表す〈S＋V as s＋v〉のパターンに慣れると英字新聞を楽に読めるようになっていきます。

Prosecutors to push for guilty verdict in Hakamata retrial

—— The Japan Times, 2023.7.10

Shizuoka prosecutors said July 10 they will **argue** in a retrial that **convicted** murderer Iwao Hakamata is guilty.

In March, the Tokyo High Court ordered a retrial for Hakamata, who had **been in prison on death row** for more than 30 years, sending the case back to the Shizuoka court **on the basis that** the blood-stained clothing found in a miso barrel that helped lead to his conviction may have been planted by "one of the investigators."

(77 words)

□ verdict 評決

□ retrial 再審

□ argue ～を立証する

□ convicted 有罪判決を受けた

□ be in prison on death row

死刑囚として収監されている

★ death row は「死刑囚収容棟」

□ on the basis that ～ ～に基づいて

Check

Prosecutors **(are) to push** for (a) guilty verdict in (the) Hakamata retrial

見出しの to 不定詞は「予定」を表します。ここでは、検察が「これから」有罪を立証していくということです。

検察、袴田さんの再審公判で有罪立証へ

　静岡地検は7月10日、殺人罪で有罪判決を受けた袴田巌さんが有罪であることを再審で主張すると発表した。

　3月に東京高等裁判所は袴田さんの再審を命じた。袴田さんは30年以上死刑囚として収監されていた。東京高裁は、袴田さんの有罪判決につながる一因となった味噌樽の中で見つかった血の付いた衣類が、「捜査員の一人」によって仕込まれた可能性があることに基づき、静岡地方裁判所にこの裁判を戻した。

読解のツボ

分詞構文と関係詞節がつながる長い文

　1 は the Tokyo High Court ordered a retrial for Hakamata（東京高等裁判所が袴田さんの再審を命じた）が主節の中心部分です。そして Hakamata を説明するためにカンマで関係代名詞節が挿入されています。had been in prison と過去完了形が使われているのは、再審を命じたときよりも前に「30年以上も収監されていた」ことを表しているからです。続いて sending で始まる**分詞構文**のところは「そして、その裁判を〜に差し戻した」と読みましょう。on the basis that の that は同格で、「〜に基づいて」という意味です。

　that 以下にも主語と動詞があります。主語は the blood-stained clothing ... his conviction で述語動詞が may have been planted です。blood-stained clothing を過去分詞句の found in a miso barrel が修飾し、さらにそれを that helped 以下の**関係代名詞節で説明しています**。

Night of relative calm in France but riot tensions persist

———— Reuters, 2023.7.3

Defiant gatherings were held outside town halls across France on July 3 <u>following</u> **a wave of rioting** triggered by the **fatal** police shooting of a teenager **of** North African **descent**.

<u>The number of arrests fell from thousands to fewer than 160 overnight, offering some relief for President Emmanuel Macron in his fight to **reimpose order**, just months after **rolling** protests over an unpopular **pension reform**.</u>

(65 words)

□ ~ of calm　穏やかな〜

□ defiant　抵抗する

□ a wave of ~　〜の押し寄せ

□ riot　暴動を起こす

□ fatal　致死の

□ of ~ descent　〜系の

□ reimpose order　秩序を回復する

□ rolling　長く続いた、繰り返す

□ pension reform　年金改革

Check

following　続いて〜する

〈S＋V following X〉や〈Following X, S＋V〉と現在分詞の following が分詞構文で用いられると、「X の後に（続いて）S が V する」の意味になります。

フランス暴動、沈静化も緊張続く

　北アフリカ系の 10 代の若者を警察が射殺した事件によって引き起こされた各地での暴動に続き、抗議集会が 7 月 3 日にフランス中の市役所の外で開かれた。

　一晩の逮捕者数は数千人から 160 人以下に減少し、秩序を回復するために奮闘するエマニュエル・マクロン大統領にやや安心をもたらした。不人気の年金改革をめぐって長く続いた抗議活動からわずか数カ月しかたっていない。

読解のツボ

主節全体を意味上の主語にする分詞構文

　2 の主節は fell from A to B で、「逮捕者の数が一晩で数千人から 160 人を下回る数まで落ち込んだ（減少した）」という意味になります。そして offering からの**分詞構文**の主語は主節の主語と一致するのが一般的ですが、ここでは「逮捕者の数」が主節の主語なのでうまくいきません。offering 以下は**主節全体が意味上の主語**だと考え、「そして、そのことが」という意味だと捉えます。つまり、offering some relief for President Emmanuel Macron は「そのことが、エマニュエル・マクロン大統領にやや安心をもたらした」となります。続く in his fight to reimpose order は「秩序を回復するために奮闘している最中の」という意味です。after の後ろの rolling は**現在分詞の形容詞用法**で protests を修飾しています。rolling protests over ~ で「～をめぐって長く続いていた抗議活動」というかたまりで捉えましょう。

July will be warmest month on record, scientists calculate

—————————— AP, 2023.7.27

Even before July ended, scientists calculated it will be the hottest globally on record and likely the warmest human **civilization** has seen.

The **World Meteorological Organization** and the European Union's Copernicus Climate Change Service on July 27 **proclaimed** July's heat is beyond **record-smashing**. They said Earth's temperature has been temporarily passing over a key **warming threshold**: the internationally accepted goal of limiting global warming to 1.5 degrees Celsius.

(68 words)

- [ ] civilization　文明
- [ ] World Meteorological Organization　世界気象機関
- [ ] proclaim　〜を明らかにする
- [ ] record-smashing　記録破りの
- [ ] warming　温暖化の
- [ ] threshold　基準値、境界値

Check

July **will** be (the) warmest month on record ...

見出しの will は「見込み」を表します。7 月下旬の記事のため、まだ 7 月が終わっていません。おそらく観測史上最も暑くなるだろうという見込みが will によって表されています。

7月、観測史上最も暑い

　7月が終わりを迎える前から、科学者たちは、この7月は世界的に史上最も暑くなり、人類の文明が経験してきた中で最も温暖なものになる可能性が高いと算出した。

　世界気象機関（WMO）と欧州連合（EU）のコペルニクス気候変動サービスは7月27日、7月の暑さは記録をはるかに超えていることを明らかにした。加えて、地球の気温は一時的に、重要な温暖化の基準値、すなわち、地球温暖化を1.5℃に抑えるという国際的に受け入れられている目標値を超えていると述べた。

読解のツボ

現在完了進行形とコロンの示す意味

　1 は They said (that) Earth's temperature has been temporarily passing over ... と that 節内で**現在完了進行形**が使われています。現在完了進行形は「ずっと〜している（まだ続きそうだ）」または「ついさっきまでずっと〜していた」（p. 41）という意味を表します。ここでは、地球の気温は一時的ではあるが温暖化の基準値を超えた状態が続いている、ということです。

　文中のコロンの役割は「例示」や「補足説明」です。この場合は a key warming threshold「重要な温暖化の基準値」について、コロン以下で the internationally accepted goal of limiting global warming to 1.5 degrees Celsius（国際的に受け入れられている地球温暖化を1.5℃に抑えるという目標値）というように**具体的に補足説明**されています。

August

写真：AP

8 月

QUESTION
WHAT WOULD YOU DO TO END FOREIGN ELECTION INTERFERENCE?
CNN FINAL PRESIDENTIAL DEBATE
CNN
9:30 PM ET
#Debates2020

Zoom thrived on the remote work revolution. Now it wants its workers back in the office.

——— AP, 2023.8.9

The tech company Zoom, whose name became **synonymous with** remote work during the pandemic, is asking employees to work in the office.

The new policy only **applies to** employees living within 50 miles (80 kilometers) of its offices, the videoconferencing **pioneer** said in an email.

Other big tech companies, like Google, Salesforce and Amazon, also want workers to return to the office, despite a **backlash** from some employees. (68 words)

- ☐ revolution 大転換
- ☐ synonymous with ~ ～と同義の、～を連想させる
- ☐ apply to ~ ～に適用される
- ☐ pioneer 先駆者
- ☐ backlash 反発

> **Check**
>
> ### thrive 成功する
>
> thrive は「成功する」「成長する」という意味ですが、「有利なまたは不利な条件下で」というニュアンスを含みます。succeed は「設定された目標を達成する」というニュアンスです。

リモートワークの象徴「Zoom」、
従業員にオフィス復帰を要請

　米テクノロジー企業 Zoom は、その名前がパンデミックの間にリモートワークを連想させるものとなったが、社員にオフィスで働くよう求めている。

　新しい方針は、オフィスから 50 マイル（80 キロ）以内に住んでいる従業員にのみ適用されると、このビデオ会議の先駆者（Zoom のこと）は E メールで発表した。

　グーグルやセールスフォース、アマゾンなどの他の大手テクノロジー企業も、一部の従業員からの反発にもかかわらず、従業員にオフィスに復帰してもらいたいと考えている。

読解のツボ

対比を意識して英文を読む

　ここでは1文を超えて文章の流れを読むことを考えます。最初の2つの段落ではこれまでリモートワークを推進してきた Zoom 社が従業員に対してオフィスに戻るように求めているということが書かれています。そして、3つめの段落は Other big tech companies から始まります。この **other が出てきたところで他社はリモートワークを「継続する」または「縮小する」のどちらかが述べられる可能性を予測**してください。ここでは他社の事例を出して話題を展開させています。そして **also を見たところで「Zoom 社と同じ縮小路線だ」と予想**できます。despite は「〜にもかかわらず」という意味の前置詞で英字新聞では頻出語です。

121

Biden is 'old,' Trump is 'corrupt': poll

AP, 2023.8.28

President Joe Biden is "old" and "confused," and former President Donald Trump is "corrupt" and "dishonest." <u>Those are among the top **terms** Americans use when they're asked to describe the **Democrat** in the White House and the **Republican** best positioned to face him in next year's election.</u>

A new **AP-NORC** poll asked an **open-ended** question about what **comes to mind** when people think of them.

(65 words)

- □ corrupt　腐敗した
- □ terms　言い方、言葉づかい
- □ Democrat　民主党員
- □ Republican　共和党員
- □ AP-NORC　AP通信とシカゴ大学全国世論調査センター
- □ open-ended　自由回答形式の
- □ come to mind　思いつく

Check

Biden is 'old' **and** Trump is 'corrupt': **poll**

カンマは and を表します。また、poll は「世論調査」で、〈X: poll〉もしくは〈Poll: X〉は X で記事が調査の結果であることを表しています。類似する表現に〈X: study〉があり、X で研究成果・結果に基づいた内容であることが示されます。

> **「老いた」バイデン氏、「腐敗した」トランプ氏:世論調査**
> 　ジョー・バイデン大統領は「老いて」いて「混乱して」おり、ドナルド・トランプ前大統領は「腐敗して」いて「不誠実で」ある。これらは、ホワイトハウスにいる民主党員（バイデン大統領のこと）と、来年の選挙でバイデン氏と対立する位置の筆頭にいる共和党員（トランプ前大統領のこと）を形容するよう聞かれたときにアメリカ人が使う言葉のトップに入っている。
> 　AP 通信とシカゴ大学全国世論調査センター（NORC）の新しい調査は、彼らのことを思い浮かべたときに、人々の頭に何が思い浮かぶかについて自由回答形式の質問を尋ねた。

読解のツボ

関係詞の省略と2つの目的語を見抜く

　1の冒頭に出てくる前置詞 among は one of の意味で「〜の中に含まれる」となります。続く terms という名詞の後ろに Americans use と〈主語＋述語動詞〉が続いていて use の目的語がないので、関係代名詞の省略を見抜き、Americans use 以下の部分が terms を修飾していると考えます。「これらはアメリカ人が使うトップの言葉に含まれている」となります。

　続く when 以下は〈be asked to do〉で「〜するように言われる・頼まれる」の意味で describe **の目的語が the Democrat in the White House** と the Republican best positioned ... in next year's election です。in the White House が the Democrat を修飾し、そして best positioned ... elections が the Republican を修飾しています。〈be positioned to do〉で「〜する立場にある」という意味です。

Greece plans hourly caps on visitors to ancient Acropolis, allowing just 20,000 daily

———— AP, 2023.8.3

People going to the Acropolis of Athens will have to plan their visits carefully in future. Beginning in September, the Greek government will **cap** visitors at a maximum of 20,000 each day, it said on Aug. 2.

The Acropolis is Greece's most popular **archaeological site**. As many as 23,000 people a day have been **squeezing into** the **monument complex**.

(59 words)

□ hourly　時間ごとの

□ cap　上限、〜に上限を設ける

□ Acropolis　アクロポリス　★
　ギリシャ語で「高い所にある都市」

□ archaeological site　遺跡

□ squeeze into 〜　〜に押し寄
　せる

□ monument complex　遺跡群

Check

Greece plans hourly caps on visitors to (the) ancient Acropolis **and is allowing** just 20,000 daily

見出しのカンマは and の代わりになり、動詞の -ing 形は〈be 動詞＋ -ing〉という進行形の意味で解釈します。ここでの現在進行形は、「決定された計画」を表します。入場者の制限を政府が決定・発表した、ということです。

ギリシャ・アクロポリス遺跡 入場者数を制限へ、
1日最大2万人

アテネのアクロポリスへ行く人々は、今後、訪問を慎重に計画する必要があるだろう。9月から、ギリシャ政府は入場者数を1日最大2万人に制限すると8月2日に発表した。

アクロポリスはギリシャの最も人気のある遺跡だ。1日に2万3,000人もの人々が、この遺跡群に押し寄せている。

読解のツボ

「推量を表す will」と「単純未来の will」

1の前半に出てくる〈will have to do〉は、「〜しなければならない」という have to に、**高い確実性を含意する推量の will** がついた形で、将来の必要性を表しています。「〜しなければならない」という意味では助動詞の must もありますが、英語は will must のように助動詞を連続して使うことができません。

次の文の Beginning in 〜 は「〜から始まる」という**定型表現**として押さえておきましょう。そして the Greek government will cap visitors ... の **will も、未来を表す語を伴って「時間が経過すれば必ず行われる・ある状態になる」ことを表します。**今回のように、主語に政府機関で動詞が〈will do〉となっている場合は原則として政府の決定事項で、時期がくれば実行されることを表します。

Japanese firm's hiking app helps rescuers locate stranded climbers

—————— Kyodo, 2023.8.8

A popular hiking app developed by a Japanese firm has become a useful tool for rescuers to locate people stranded on mountains. The GPS technology in Yamap can share a phone's exact location even when there is no cellphone service.

Yamap Inc., the Fukuoka-based tech company behind the app, said it has been contacted by police, **relief teams** and others seeking app data on 200 cases of missing climbers in 2022, **up sharply** from 46 in 2020 and 89 in 2021.

(81 words)

☐ rescuer　救助者　　☐ relief team　救助隊
☐ stranded　遭難した　☐ up sharply　急増して

Check

(A) Japanese firm's hiking app **helps** rescuers locate stranded climbers

見出しは〈help ○ + (to) 動詞〉の形です。「主語は○が〜するのに役立つ、〜するのを促進する」という意味で、ここではrescuers locate stranded climbers、つまり「救助隊が遭難した登山者の位置を特定する」のに役立つ、ということです。

スマホ用登山地図 GPS アプリ、遭難救助で活用

ある日本の企業が開発した人気の登山用アプリが、遭難した登山者の位置を救助隊が特定するのに便利なツールになっている。「ヤマップ」の GPS 技術は、携帯電話のサービスがないときでも、持ち主の携帯電話の正確な位置を共有できる。

このアプリを開発した、福岡を拠点とするテクノロジー企業の株式会社ヤマップは、行方不明になった登山者について、警察や救助隊など、アプリのデータを求める人々から連絡を受けたと述べた。2022 年に 200 件で、2020 年の 46 件、2021 年の 89 件から急増している。

読解のツボ

現在分詞による名詞の補足説明

1 は Yamap Inc. が主語、said が述語動詞です。その間の挿入句はヤマップ社についての説明です。英字新聞では初出の固有名詞は大抵、次に説明が挿入されます。**前置詞の behind は「〜の背後に」の他に、「〜の後ろ盾となる」という意味**があり、〈企業 behind 製品〉で「製品を開発・製造した企業」のように使われます。

said に続く従属節は受動態の現在完了で、「〜から連絡を受けたことがある」という意味です。police ... others は seeking app data on 以下の現在分詞によって説明され、「警察などアプリのデータを求める人たち」となります。**〈by ＋人（団体）〉という表現が出てきたら、後ろにどのような人（団体）かの説明が入る**可能性があります。ここでは up sharply 以下で、2022 年の件数がどのくらい急増したのか補足されています。

British Museum sacks worker over stolen items

— Reuters, 2023.8.16

The British Museum said Aug. 16 a member of staff had been dismissed after items from its collection, including gold jewelry and

gems, had been found to be missing, stolen or damaged.

The museum, one of the most visited in the world, said it was **taking legal action** against the **individual** and had also launched a review of security. London's Metropolitan Police is also **investigating**, the museum said.

(68 words)

☐ gem　宝石　　　　　　　　☐ individual　個人

☐ take legal action　法的措置　　☐ investigate　〜を捜査する
　　をとる

> **Check**
>
> ### sack　〜を解雇する
>
> dismiss も「解雇する」ですが、見出しでは sack のように短い語彙が選ばれます。たとえば air「公表する」、assail「非難する」、eye「検討する」、hike「引き上げる」も頻出です。

大英博物館、収蔵品の盗難をめぐり職員を解雇

　大英博物館は 8 月 16 日、金の宝飾品や宝石を含む所蔵品の一部について、紛失、盗難、あるいは損傷していることが発覚した後、職員 1 人を解雇したと発表した。

　世界で最も多くの人々が訪れる博物館の一つである同館は、当該職員に対して法的措置をとっており、セキュリティの見直しも始めたと述べた。ロンドン警視庁も調査中だという。

読解のツボ

時制の一致と不一致

　2 では The museum の直後に大英博物館の説明が挿入され、world までが主語、そして said が述語動詞で、that が省略という英字新聞のお約束パターンです。it was taking legal action と過去進行形になっているのは主節の said と時制をそろえたためです。話をした時点で法的措置をとっていたことを示しています。同様に had also launched も時制を一致させています。話した時点で見直しを始めていたということです。

　一方、3 の主節は最後の the museum said ですから、本来であれば London's ... Police was のように過去形にしますが、現在形になっています。ここでは、博物館の発表を記者が要約して直接話法的に伝えています。**英字新聞では「今、目の前で起きていること」「前の内容と比べて時間的に新しいこと」を強調するために、あえて時制の一致をさせない場合**があります。

Japan urges China to rein in harassing calls over Fukushima water

——————— The Japan Times, 2023.8.28

Prime Minister Fumio Kishida on Aug. 28 **urged** China **to** rein in **a barrage of** harassing phone calls and **slammed** incidents of rock-throwing at Japanese schools and its embassy in Beijing, following **Tokyo's** decision to release treated water from the Fukushima No. 1 **nuclear power plant** into the **Pacific Ocean**.

(50 words)

- ☐ rein in ~　～を制御する、抑える
- ☐ harassing (phone) call　迷惑電話
- ☐ urge A to do　A に～するよう求める
- ☐ a barrage of ~　矢継ぎ早の、～、～の連発
- ☐ slam　～を激しく非難する
- ☐ Tokyo　日本政府
- ☐ nuclear power plant　原子力発電所
- ☐ Pacific Ocean　太平洋

Check

over　～をめぐる

見出しでは前置詞 over が使われています。over と about は似た意味を持っていますが、about は一般的に「～に関して」という意味である一方、over は「議論など異なる意見が出てくることについて」用いることがあります。ここでは、福島の処理水に関してさまざまな議論があることが over からわかります。

政府、中国に処理水めぐる迷惑電話の対応求める

岸田文雄首相は 8 月 28 日、中国に対し集中砲火的な嫌がらせ電話を抑えるよう求め、北京の日本人学校や日本大使館への投石事件を非難した。これは、政府が福島第一原子力発電所の処理水を太平洋に放出すると決定した後のことだ。

読解のツボ

文→名詞句の圧縮で引き締まった文に

冒頭の Prime Minister Fumio Kishida ... urged China to rein in ... の **〈urge O to do〉は「O に～するよう強く促す、勧告する」** と、単なる要求ではなく「強い要求」を意味します。続く and slammed incidents of ... では、**英字新聞で頻出の slam（～を激しく非難する）** という動詞が使われています。ドアを勢いよく閉めるという意味がありますので、強さがイメージしやすいと思います。

following は現在分詞が前置詞化したもので「～の後に」という意味で用いられます。続いて Tokyo's decision to release treated water from ... nuclear power plant into the Pacific Ocean という長い名詞句が来ています。after Tokyo decided to release ... と主語と動詞を用いて表すこともできますが、主語と動詞を Tokyo's decision to release ... と名詞句にしています。**「文」を「名詞句」で表すと引き締まった文体にすることができるため、英字新聞では好まれる表現形式**です。ちなみに首都名が政府を表す英字新聞のルールに従い、Tokyo は「日本政府」と解釈します。

September

Level 1

Jingu Gaien redevelopment plan should be halted over tree loss, says UN body

東京・神宮外苑再開発、ユネスコの諮問機関が中止を求める

Level 2

Basketball: Japan men's team qualifies for Olympics with World Cup win over Cape Verde

バスケ男子日本代表、
カーボベルデに勝利しパリ五輪出場決定

Japan launches lunar lander into space

日本、月着陸機などの打ち上げ成功

Striking Hollywood writers reach tentative deal

ハリウッド脚本家ストライキ、暫定合意

Level 3

Red Cross cuts 2024 budget as donations fall

赤十字、24年度予算を削減

Humans have built with wood for 476,000 years

世界最古の木造構造物を発見

写真提供：iStock.

Jingu Gaien redevelopment plan should be halted over tree loss, says UN body

—————— Kyodo, 2023.9.8

A UNESCO **advisory body** on Sept. 7 **called for** the **withdrawal** of the Jingu Gaien redevelopment plan in Tokyo.

The U.N.'s International Council on Monuments and Sites **issued** a "Heritage Alert." It argued that the plan to cut down around 3,000 trees will threaten Tokyo's garden city park system. The alert is not legally **binding**.

(55 words)

◻ halt　〜を中止・停止する
◻ advisory body　諮問機関
◻ call for 〜　〜を求める

◻ withdrawal　撤回
◻ issue　〜を発表する
◻ binding　拘束力のある

Check

shouldは義務を表す？

見出しに should が使われています。「〜すべき」という意味から強制力があるように捉えてしまいがちですが、「強制力のない義務」を表します。提案や要求をしているというニュアンスで考えておくとよいでしょう。

東京・神宮外苑再開発、
ユネスコの諮問機関が中止を求める

　ユネスコの諮問機関が９月７日、東京・神宮外苑の再開発計画の撤回を求めた。

　国連の国際記念物遺跡会議（ICOMOS）は、「遺産危機警告（ヘリテージ・アラート）」を発表した。約 3,000 本の木々を伐採する計画は、東京の庭園都市公園体系を脅威にさらすと主張した。この警告に法的拘束力はない。

読解のツボ

同格の to 不定詞

　1 の主語 it は、前文の主語 The U.N.'s International Council on Monuments and Sites を受けています。続く述語動詞 argued は〈argue that s＋v〉で「s が v だと主張する」という意味です。that 節内に登場する the plan は大抵、どんな計画かの説明が続きます。〈the plan that s＋v〉であれば「同格の that 節」、〈the plan to do〉であれば「同格の to 不定詞」と考えます。ここでは、to cut down around 3,000 trees という to 不定詞が the plan の同格になり、ここまでが that 節内の主語です。続く will threaten は単純未来で「〜を脅かす・脅威にさらすことになるだろう」という意味です。

　ここで挙げた「名詞＋同格の to 不定詞」のパターンを取る名詞には、decision（決定）、intention（意図）、permission（許可）、proposal（提案）、right（権利）、refusal（拒否）など未来志向の意味を持つ名詞があります。

Basketball: Japan men's team qualifies for Olympics with World Cup win over Cape Verde

— Kyodo, 2023.9.2

FIBA Basketball World Cup **cohost** Japan **punched its ticket to** the 2024 Paris Olympics after holding on for an 80-71 victory over Cape Verde on Sept. 2.

Faced with an **unforgiving** Group E slate against No. 11 Germany, No. 24 Finland and No. 3 Australia, Japan went 1-2 in the first group stage at Okinawa Arena before winning both of its games in the 17th to 32nd **classification round** to finish 3-2 overall.

(73 words)

□ qualify for ~　〜の資格を得る
□ cohost　共催国
□ punch *one's* ticket to ~　〜へのチケットを得る

□ unforgiving　（場所・状況が）厳しい、容赦のない
□ classification round　２次ラウンド　★ classification は「分類、等級分け」

Check

スポーツ記事の見出し

スポーツ記事ではさまざまな種目の競技について報道をするため、冒頭に「種目（競技名）＋コロン（:)・スラッシュ（/）」を表記し、どの競技に関する記事かを示すことがあります。

バスケ男子日本代表、
カーボベルデに勝利しパリ五輪出場決定

　FIBA バスケットボール・ワールドカップ共催国の日本は 9 月 2 日、カーボベルデとの試合に持ちこたえて 80-71 で勝利し、2024 年のパリ五輪出場権を獲得した。

　日本は世界 11 位のドイツや 24 位のフィンランド、3 位のオーストラリアと対戦する過酷なグループ E に直面して、沖縄アリーナで行われたグループステージ 1 次ラウンドを 1 勝 2 敗で終え、17 位から 32 位の 2 次ラウンドでは 2 試合とも勝利し、通算 3 勝 2 敗となった。

読解のツボ

過去分詞の分詞構文

　1 の文頭の Faced は動詞の過去形もしくは過去分詞形ですが、過去形から文を始めることはめったにないので、**まずは過去分詞の「分詞構文」とみなします**。〈人＋be faced with ~〉で「人が困難などに直面している」という意味です。主語はこの後に出てくる主節の主語と一致しますが、前の段落から読んでいれば Japan was faced with ~ と読むことができます。

　主節の述語動詞 went は、後ろに勝敗や成績を続けると「（チーム・選手が）結果を出した」という意味を表します。前置詞の before は「~の前に」と訳してもよいのですが、**前から順に「そして~した」と捉えたほうがすっきりする**場合があります。「そして、2 次ラウンドの 2 試合とも勝利して…」と読んでいきましょう。to finish は結果を表す to 不定詞で、「結果として 3 勝 2 敗となった」という意味です。

Japan launches lunar lander into space

— Reuters, 2023.9.7

Japan launched its lunar **exploration spacecraft** on Sept. 7 aboard a **homegrown** H-IIA rocket, hoping to become the world's fifth country to land on the moon early next year.

Japan Aerospace Exploration Agency said the rocket **took off** from Tanegashima Space Center as planned and successfully released the Smart Lander for Investigating Moon (SLIM). (54 words)

- ☐ launch　～を打ち上げる
- ☐ lunar　月の
- ☐ exploration　探査
- ☐ spacecraft　宇宙船
- ☐ homegrown　国産の
- ☐ take off　飛び立つ

> **Check**
>
> ### as planned　計画通りに
>
> as planned は予定された事柄や仕事について、go (ahead) as planned（計画・予定通りに進む）のように用いられます。ここでは「予定通りに飛び立った」となります。

　写真提供：共同通信社

日本、月着陸機などの打ち上げ成功

　日本は９月７日、国産の H-IIA ロケットに搭載して月面探査機を打ち上げた。来年早くに、月に着陸した世界で５番目の国になることを目指している。

　日本の宇宙航空研究開発機構（JAXA）は、このロケットは種子島宇宙センターから予定通り飛び立ち、小型実証機スリムを正常に分離したと述べた。

読解のツボ

不定詞の意味上の主語を捉える

　1 は主語が Japan、述語動詞が launched、目的語が its ... space craft です。前置詞句 on Sept. 7 で時を表し、続く aboard a homegrown H-IIA rocket も前置詞句です。〈aboard ＋乗り物〉で「乗り物に乗って・乗せて」という意味になります。主節部分は「月面探査機を国産の H-IIA ロケットに乗せて打ち上げた」となります。

　カンマ後の hoping 以降は分詞構文で、〈hope to do〉は「〜することを見込んでいる・目指している」という意味で捉えます。**the world's fifth country（世界で５番目の国）が to 不定詞である to land on the moon（月に着陸する）の意味上の主語になります。５番目の国とはどんな国かについて、来年早々に月に着陸する国だと情報が追加されています。** to 不定詞の形容詞用法なので「月面に上陸した世界で５番目の国」のように、意味上の主語を修飾する形で捉えるとよいでしょう。

Striking Hollywood writers reach tentative deal

Reuters, 2023.9.26

Hollywood's writers union said it reached a **preliminary** labor agreement with major studios Sept. 24, a deal expected to end one of two strikes that have **halted** most film and television production and **cost** the California economy billions.

The Writers Guild of America, which represents 11,500 film and television writers, described the deal as "exceptional" with "meaningful **gains** and protections for writers."

(59 words)

- □ tentative 暫定的な
- □ preliminary 予備的な
- □ halt 〜を休止・停止する
- □ cost A B A に B（金額）の負担がかかる
- □ gain 利益

Check

exceptional 並外れた

exceptional は元々「例外的な」という意味があり、そこから「例外的に外れている」→「異例の・並外れて優れている」という意味に派生しました。an exceptional promotion で「異例の昇進」、a person of exceptional ability で「並外れた能力の持ち主」のような使い方をします。

ハリウッド脚本家ストライキ、暫定合意

　ハリウッドの脚本家の労働組合は 9 月 24 日、大手製作会社との労働協約において暫定的な合意に達したと発表した。この合意により、ほとんどの映画・テレビ製作を停止させ、カリフォルニア州の経済に数十億ドルの損害が出た 2 つのストのうち 1 つが終わると見込まれる。

　映画とテレビ番組の脚本家 11,500 人を代表する全米脚本化組合（WGA）は、今回の合意を「脚本家にとって有意義な利益と保護」をもたらす「非常に素晴らしい」ものであると述べた。

読解のツボ

同格を用いて予測を追加する

　1 の冒頭で Hollywood's writers union said it reached ... Sept. 24 と事実を報じています。この文は〈S＋V ~, a deal ...〉の形です。カンマ以下の a deal（合意）は、主節で述べられている暫定合意（a preliminary labor agreement）の同格となります。**英字新聞では同格を使い、事実を提示した後に記事の書き手が今後の予測を追加する**ことがあります。expected to ~ は前の a deal を修飾し、「～することが見込まれる合意」と書き手が予測していることを示しています。to end one of two strikes that have halted most film ... にある that は関係代名詞で two strikes が先行詞になります。このように同格を用いて「2 つのストライキのうちの 1 つが収束すると見込まれる」と予測を追加しているのです。

Red Cross cuts 2024 budget as donations fall

Reuters, 2023.9.11

The International Committee of the Red Cross will cut its budget next year by about 13%, its director-general said Sept. 11, as major donors including the United States have reduced **funding**.

Surging humanitarian needs **amid** a **deepening** set of crises around the world, including wars in Ukraine and Sudan, have **strained** aid budgets, forcing governments to rethink decisions about who to help and how.

(64 words)

- □ funding　財政支援
- □ surging　急増する
- □ humanitarian　人道上の
- □ amid　〜のさなかに
- □ deepening　深刻化する
- □ strain　〜に負担をかける

Check

as donations fall / as major donors ...

接続詞の as には多くの意味がありますが、大抵は文脈から理解することができます。見出しと本文中の as はどちらも「理由」の意味です。見出しでは「拠出額の減少により」とあり、as以下が予算縮減の理由になっています。

赤十字、24 年度予算を削減

　赤十字国際委員会（ICRC）は 2024 年の予算を約 13% 削減すると事務局長が 9 月 11 日に発表した。アメリカを含む主要支援国が拠出額を減らしたためだ。

　ウクライナやスーダンの戦闘など世界各地で危機が深まる中で人道支援の必要性が急速に高まり、援助の予算が逼迫している。各国政府は誰をどのように支援すべきか再考を迫られている。

動詞の –ing 形を見抜く

　動詞の –ing 形が現在分詞か動名詞のどちらであるか見抜けるようにしましょう。 2 の文頭の Surging は自動詞で、ここでは humanitarian needs を修飾する現在分詞となり、「高まる人道上の必要性」という意味になります。〈surging X〉「高まる（急増する）X」という表現を押さえておきましょう。続く amid は英字新聞頻出の前置詞です。deepening も現在分詞の形容詞用法で直後の名詞句 set of crises を修飾し、さらに副詞句 around the world が crisis を修飾しています。

　カンマに続く前置詞の including から Sudan までは挿入句です。〈including ＋重要な人や物、事柄〉は、「～をはじめとして」や「～などといった」という意味で捉えるとうまくいきます。そして have strained と述語動詞が続き、forcing 以下は分詞構文です。**文末の分詞構文は「そして～する」「～しながら」という意味**で捉えますが、英字新聞では特に前者の意味で用いられます。

Humans have built with wood for 476,000 years

———————— Reuters, 2023.9.21

Along the banks of the Kalambo River in Zambia near Africa's second-highest waterfall, archaeologists have excavated two logs of the large-fruited bushwillow tree that were notched, shaped and joined nearly half a million years ago.

The logs, modified using stone tools, appear to have been part of a framework for a structure, a conclusion that contradicts the notion humans at that time simply roamed the landscape hunting and gathering resources. (70 words)

☐ archaeologist　考古学者　　　☐ notch　〜に切り込みを入れる

☐ excavate　〜を発掘する　　　☐ contradict　〜と相反する

☐ log　丸太　　　　　　　　　☐ notion　見解

☐ bushwillow　ブッシュヤナギ　☐ roam　〜を歩き回る

Check

Humans have built with wood for 476,000 years

見出しに現在完了形が使われる場合、「過去から現在に至るまでずっと（そしてこの先もおそらく続く）」ということを明示します。ここでは 47 万 6,000 年前から今に至るまで人類は木を使って構造物を作っていたことを表しています。

世界最古の木造構造物を発見

　ザンビア共和国にある、アフリカで 2 番目の高さがあるカランボ滝付近の川岸で、50 万年近く前に切り込みを入れられ十字に組み合わさった 2 本のブッシュヤナギの丸太を考古学者らが発見した。

　丸太は石器を使って加工され、ある構造物の一部だったと見られる。これは、当時の人類はただ土地を歩き回って狩りをし、物資を集めていたという理論を覆すものだ。

読解のツボ

現在完了形を理解する

　〈have ＋過去分詞〉で表される現在完了は、「経験」「結果」「完了」などの意味的な観点から分類されることがありますが、視点を変えて、「**過去に生じたことが何らかの形で現在に影響を与えている**」と考えます。I have finished my project. という文はプロジェクトを終えたということだけではなく、終えたことで**今は時間がある、別のことができる**などを表します。

　1 で現在完了形が使われているのも、「考古学者が 2 本の丸太を発見した」という出来事だけではなく、そこから派生した現時点の状況を伝える必要があるからです。それで、後の段落で「当時の人類はただ土地を歩き回って狩りをし、物資を集めていたという理論を覆すものだ」と現在に及ぼした大きな影響が示されています。**現在完了形が出てきた場合は、その出来事がどのような影響を現在に与えているのかが説明される可能性を考えて読む**とよいでしょう。

October

写真：AP

10 月

Japan startup develops 'Gundam'-like robot

Reuters, 2023.10.2

Tokyo-based startup Tsubame Industries has developed a 4.5-meter-tall, four-wheeled robot that looks like "Mobile Suit Gundam" from the wildly popular Japanese animation series, and it can be yours for $3 million (¥440 million).

The 3.5-ton robot, which will be **unveiled** at the Japan Mobility Show later in October, has two modes: the **upright** "robot mode" and a "vehicle mode," which can power the robot to speeds of **up to** 10 kilometers per hour.

(73 words)

□ startup （成長が見込める）新興企業

□ unveil ～を公開する

□ upright 直立型の

□ up to ~ 最大～まで

Check

'Gundam'-like

名詞＋like は形容詞で「～のような」「～に似た」という意味です。たとえば、a Kinkakuji-like temple で「金閣寺のようなお寺」という意味になります。

ベンチャー、ガンダム型ロボットを開発

　東京を拠点とする新興企業ツバメインダストリは、広く人気のある日本のアニメシリーズに出てくる「モバイルスーツガンダム」に似た高さ4.5メートルの4輪ロボットを開発した。このロボットは、300万ドル（4億4,000万円）で販売中だ。

　この重さ3.5トンのロボットは、10月のジャパンモビリティーショーで公開される予定で、2つのモードがある。直立型の「ロボットモード」と「乗り物モード」で、このモードではロボットが最大時速10キロで走行できる。

読解のツボ

現在完了形を読解に活用する

　1 は Tokyo-based startup Tsubame Industries が主語、has developed が述語動詞で、現在完了形が使われています。現在完了形は「過去に生じたことが何らかの形で現在に影響を与えている」ことを表すのは 145 ページで確認しました。ここでは、ロボットが開発されたことについて話題が展開するだろうと予測しましょう。そうすれば、次の段落で The 3.5-ton robot, which will be unveiled at the Japan Mobility Show ... と出てくるのも納得できます。ロボットを開発した結果、10 月のモビリティーショーで公開されるという流れになっています。

　2 の it can be yours for $3 million は定型表現です。〈S can be yours for ＋金額〉で「S が（金額）で手に入ります（あなたのものになります）」や「S が（金額）で販売中です」という意味になります。

Nobel Prize for COVID-19 vaccine researchers

Reuters, 2023.10.3

Hungarian scientist Katalin Kariko and her U.S. research partner Drew Weissman won the 2023 Nobel Prize for medicine on Oct. 2 for discoveries **enabling** the development of mRNA COVID-19 vaccines.

"The **laureates** contributed to the **unprecedented** rate of vaccine development during one of the greatest threats to human health in modern times," the Swedish award-giving **body** said.

(57 words)

☐ enable　～を可能にする
☐ laureate　受賞者
☐ unprecedented　前例のない
☐ body　団体

Check

情報を凝縮するための表現

the Swedish award-giving body とすることで、「顕著な功績を残した人に賞を与えている、スウェーデンに本部を置く財団」のように説明的にならず、引き締まった表現を作っています。

　写真提供：共同通信社

mRNA ワクチン研究者 2 人にノーベル生理学・医学賞

　ハンガリーの科学者カタリン・カリコさんと研究パートナーのアメリカ人、ドリュー・ワイスマンさんは 10 月 2 日、新型コロナウイルス感染症（COVID-19）のワクチン開発を可能にした発見で、2023 年のノーベル生理学・医学賞を受賞した。

　「受賞者は、現代世界において人類の健康に対する最大の脅威が起きる中で、前例のない速度でのワクチン開発に貢献した」と、スウェーデンのノーベル賞を与える団体は述べた。

読解のツボ

先を予測する力

　1 の主節の述部には won the 2023 Nobel Prize for medicine（2023 年のノーベル生理学・医学賞を受賞した）とあります。この後にはどのような理由で受賞したかが続くと予測できるようにしたいところです。〈win a prize for ~〉という表現を知っていると、for から始まる句が受賞理由を示してくれることがわかります。for 以下を見ていきましょう。ここでは名詞 discoveries を現在分詞句である enabling 以下が修飾しています。名詞の後ろに分詞が出てきたところで説明が付け加えられていると考えながら読んでいきましょう。enable は 〈enable + O + to do〉で「O〈人〉が～することを可能にする」という形がありますが、ここでは 〈enable + O〉で「O を可能にする、容易にする」の意味で用いられています。

France battles bedbug panic ahead of Olympics

Reuters, 2023.10.7

The French government is battling to **contain a bout of** nationwide panic over bedbugs in Paris just nine months before the capital hosts next summer's Olympic Games.

Government officials held an emergency meeting Oct. 6 on how to tackle a crisis **borne out of** anecdotes and viral posts on social media and which is now filling talk-show **airtime** — even if pest-control experts remain largely **nonplussed**. (65 words)

☐ contain 　〜を封じ込める
☐ a bout of 〜　〜による発作、
　　〜にかかっている期間
☐ be borne out of 〜　〜から生じる
☐ airtime 　放送時間
☐ nonplussed 　当惑して

Check

anecdote 　目撃情報

anecdote は「逸話、小話」という意味ですが、SNS の投稿について言うときは「信憑性のない考えや事例」や「自分の体験談（目撃情報）」という意味で用いられます。

五輪を控えたフランスでトコジラミ騒動

　フランス政府は、パリで発生したトコジラミをめぐる全国的なパニック発作を封じ込めようと苦労している。パリで来年夏のオリンピックが開催されるまで、あとわずか 9 カ月のことだ。

　政府職員らは、ソーシャルメディア上での目撃情報や拡散された投稿から生じた危機にどう対処するかについて 10 月 6 日に緊急会議を開いた。害虫駆除の専門家たちはかなり困惑した状態が続いているが、今ではトーク番組で放送時間の多くがこの話題に割かれている。

読解のツボ

前置詞の on

　接触を表す on が「〜の上に」の他に「ある話題の上に乗っている」と解釈され、「〜に関して」という意味になることがあります。1 では meeting (Oct. 6) on how to tackle ~（〜への対処に関する会議）がそれに当たります。

　a crisis に続く borne out of anecdotes ... は過去分詞句で a crisis を説明しています。on social media の on は「ソーシャルメディア上で」という意味になります。viral posts の viral は「ウイルス性の」という意味ですが、インターネット関連の文脈では「拡散する」「バズる」というニュアンスを表します。ここでは「広く拡散された投稿」という意味になります。そして and which is now filling talk-show airtime（トーク番組で大々的に取り上げられている）の which は a crisis を先行詞とする関係代名詞です。

Latest Gaza war has become deadliest, with 4,000 Israelis and Palestinians dead

———— AP, 2023.10.16

More than a million people have **fled** their homes in the Gaza Strip by Oct. 16, ahead of an expected Israeli invasion that seeks to eliminate Hamas's leadership after its deadly **incursion**. **Aid groups** warn an Israeli **ground offensive** could **hasten** a **humanitarian crisis**.

(44 words)

□ deadly　致死の
□ Israeli　イスラエル人
□ flee　〜から逃げる、〜を捨てる
□ incursion　侵略、襲撃
□ aid group　援助団体

□ ground offensive　地上侵攻、地上戦
□ hasten　〜の進行を早める
□ humanitarian crisis　人道危機

Check

見出しの現在完了形

「これまで〜した中で一番の…」という場合には現在完了が使われます。ここでは「これまでの紛争の中で今回の紛争が最悪なものになっている」ということが表されています。

ガザ地区の戦闘激化、死者数 4,000 人超

　ハマス指導部による致命的なイスラエル襲撃の後、彼らを排除しようとするイスラエルの侵攻が予想されており、10 月 16 日までに 100 万人を超える市民がガザ地区の自宅から避難した。イスラエルによる地上侵攻は人道危機を早める恐れがあると、援助団体は警告している。

読解のツボ

推量を表す助動詞 could

---

　1 の More than a million people have fled their homes in the Gaza Strip by Oct. 16 は期限を表す前置詞の by が使われ、「その期限までに完了した」ことを have fled という現在完了形で表しています。ガザ地区から多くの住民が避難したため、2 で an Israeli ground offensive could hasten a humanitarian crisis とあるように、イスラエル軍が侵攻し、人道危機が早まる可能性が高まったという現在の状況につながっていきます。ここで用いられている**助動詞の could は** can の過去形ですが過去の事実を表しているわけではありません。ここでは**「〜かもしれない」という、現在または未来に関する推量を表しています。**助動詞が推量を表す場合は、could ＜ might ≦ may ＜ can（否定文・疑問文）＜ should ＜ ought to ＜ would ＜ will ＜ must の順に確信の度合いが強くなる傾向があります。

Amazon River falls to lowest in over a century

Reuters, 2023.10.17

The Amazon River fell to its lowest level in over a century Oct. 16 at the heart of the Brazilian rainforest as a **record drought upends** the lives of hundreds of thousands of people and damages the jungle ecosystem.

Rapidly drying **tributaries** to the Amazon have left boats **stranded**, cutting off food and water supplies to **remote** villages, while high water temperatures are suspected of killing more than 100 **endangered** river dolphins.

(72 words)

☐ record　記録的な
☐ drought　干ばつ
☐ upend　〜を一変させる
☐ tributary　川の支流

☐ strand　〜を座礁させる
☐ remote　人里離れた
☐ endangered　絶滅が危惧される

Check

at the heart of ~　〜の中心で

heart には「心臓」の他に、比喩的に拡張された「中心」「本質」という意味もあります。at the heart of ~ で「〜の中心で」「〜の核心・根幹で」という意味になります。

アマゾン川、最低水位に

　アマゾン川は 10 月 16 日、ブラジルの熱帯雨林の中心部において、この 1 世紀余りで水位が最低レベルに低下した。記録的な干ばつが数十万人の生活を一変させ、ジャングルの生態系にダメージを与えている。

　急速に干上がっていくアマゾン川の支流が船を動けない状態にさせ、遠隔地の村への食糧と水の供給を断つ一方、高い水温により、絶滅危惧種のカワイルカが 100 頭以上死亡したとされる。

読解のツボ

接続詞の as

　in over a century の over は「〜の間（ずっと）、〜にわたって」や「〜が終わるまで」の意味があり、in over a century で「この 1 世紀のうちに」という意味になります。3〜4 行目の as a record drought upends the lives of hundreds of thousands of people を確認していきましょう。**as は「2 つの事柄が等しい関係にある」というのがコアの意味**です。主節の「アマゾン川の水位が最低レベルに低下したこと」と as 以下の「記録的な干ばつが人々の生活が一変させ、ジャングルの生態系にダメージを与えていること」が同時に起こっていると考えればよいでしょう。主節は「水位が下がったという出来事」を表すために fell と過去形で、as 節内が upends と現在形なのは、干ばつが今も生活を変容させ、生態系へのダメージを与えているからです。

Over 1,000 migrants reach Canaries in a day

— Reuters, 2023.10.22

Over 1,000 migrants arrived in Spain's Canary Islands in a single day on Oct. 21 after making the dangerous journey from Africa, including on a boat carrying 320 people that **rescuers** said was the most **packed vessel** they had ever seen.

The Red Cross, which was helping to **treat** the migrants, said a wooden boat that arrived on the island of El Hierro marked a record number of arrivals in a single boat.

(73 words)

☐ migrant　移民　　　　☐ vessel　船舶

☐ rescuer　救助者　　　☐ treat　〜の治療をする

☐ packed　すし詰め状態の

Check

arrive in と arrive on

arrive in のときは「国や都市など広い地域」に到着することを表し、arrive on の場合は接触のイメージから「上陸」を表します。

カナリア諸島に1日で1,000人以上の移民到着

　スペインのカナリア諸島に10月21日、1日で1,000人を超える移民が到着した。移民たちはアフリカから危険な旅をし、到着した船の中には1隻に320人を乗せた船もあった。救助隊員たちによれば、今までに見たことがある中で最もすし詰め状態の船だったという。

　移民の治療を助けている赤十字は、エル・イエロ島に到着したある木造船は、1隻の船で到着した過去最大の人数を記録したと述べた。

読解のツボ

連鎖関係詞

　2の a boat carrying 320 people は現在分詞句の carrying 320 people が a boat を修飾して「320人を乗せた1隻の船」という意味です。続く that rescuers said was the most ... の that について考えます。rescuers は said の主語になりますが、was の主語が見当たりません。that が関係代名詞で先行詞が a boat になっているのです。vessel の後も関係代名詞の that が省略されていて、全体で「今まで見たことがないぐらいのすし詰め状態の船だと救助隊員が言った」という意味になります。a boat (carrying 320 people) that (rescuers said) was the most packed vessel ... とかっこに入れて考えるとわかりやすいでしょう。

　この〈関係代名詞＋主語＋「言う・思う」を意味する動詞＋動詞〉というパターンを知っていると読解で役立ちます。こうした関係詞のことを専門的には連鎖関係詞と呼びます。

November

11 月

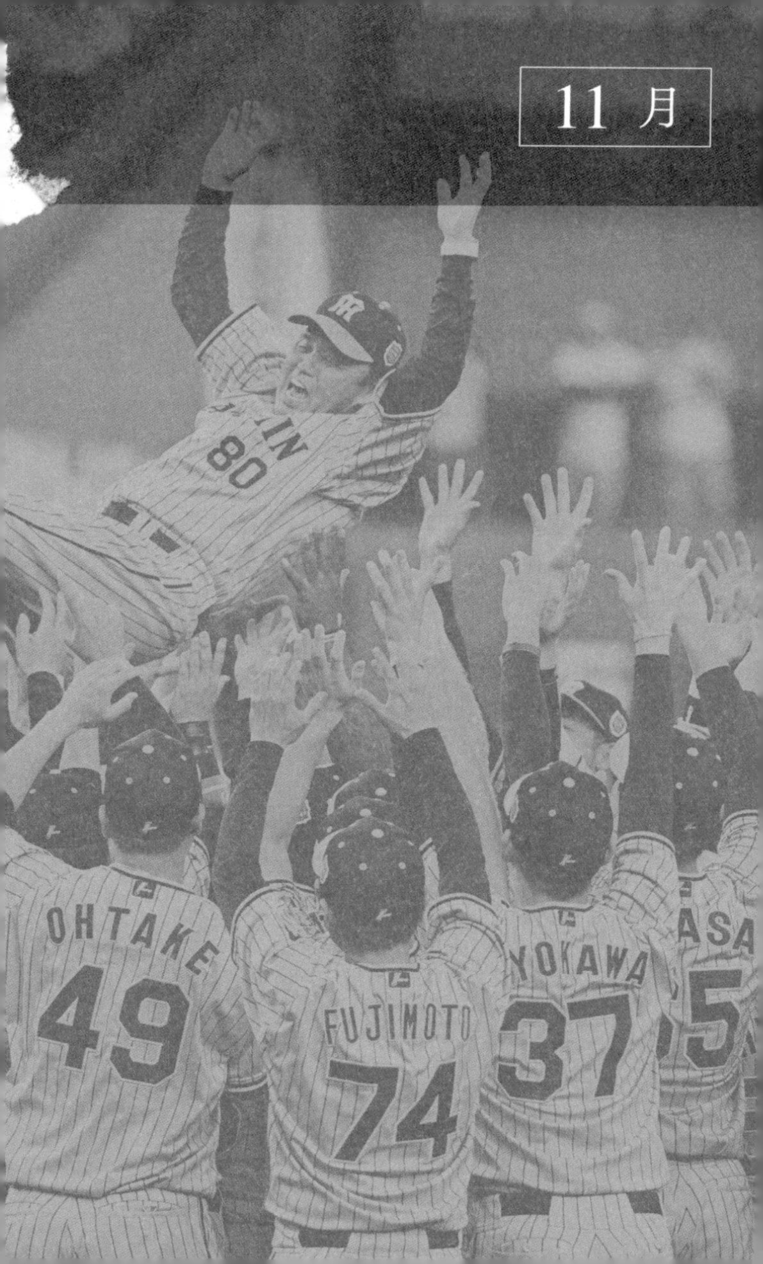

7-meter spear from hit anime *Evangelion* installed in city in Yamaguchi Prefecture

Kyodo, 2023.11.1

Fans of the animated TV show *Neon Genesis Evangelion* can see one of its key **artifacts on display** in Ube, Yamaguchi Prefecture.

The more than 7-meter-long spear is a **replica** of the "Spear of Longinus," the giant **extraterrestrial** weapon from the TV series. It **pierces** the ground in Tokiwa Park in Ube.

Ube is the **birthplace** of Hideaki Anno, the director of the series.

(64 words)

☐ spear　槍

☐ install　〜を設置する

☐ artifact　遺物、人工物

☐ on display　展示されて

☐ replica　レプリカ

☐ extraterrestrial　地球外の

☐ pierce　〜に突き刺さる

☐ birthplace　出身地、出生地

Check

(A) 7-meter spear from **(the)** hit anime *Evangelion* **(was)** **installed** in **(a)** city in Yamaguchi Prefecture

見出しの be 動詞と冠詞が省略されています。installed は過去形ではなく過去分詞で、ここでは受動態です。has been installed と捉えることもできますが、事実はどちらでも同じです。

アニメ『エヴァンゲリオン』シリーズに登場する「ロンギヌスの槍」が山口県宇部市に出現

　テレビアニメ番組『新世紀エヴァンゲリオン』のファンたちは、山口県宇部市でエヴァンゲリオンの重要なアイテムの１つを見ることができる。

　長さ７メートルを超える槍は、このテレビシリーズに登場する巨大な地球外兵器「ロンギヌスの槍」のレプリカだ。この槍は宇部市のときわ公園の敷地内に突き刺さっている。

　宇部市はこのシリーズの監督である庵野秀明氏の出身地だ。

読解のツボ

同格で補足説明を加える

　1の主語は The more than 7-meter-long spear で「長さ７メートルを超える槍」となります。is に続く名詞句 a replica of "Spear of Longinus"（「ロンギヌスの槍」のレプリカ）で槍について説明しています。そして、この槍について補足説明を加えるのがカンマ以降の the giant extraterrestrial weapon from the TV series（テレビシリーズに登場する巨大な地球外兵器）という部分です。**固有名詞が出てきたら同格でその説明を加えていく**ことが英字新聞では頻繁に見られます。

　第 3 段落でも同様に、Hideaki Anno という固有名詞に対して the director of the series と説明を付け加えています。

Netflix's ad-supported tier reaches 15 million users a year after it was launched

———— Reuters, 2023.11.2

Netflix said on Nov. 1 that its ad-supported tier had reached 15 million active users per month. The streaming **giant** launched the cheaper plan a year earlier. It hopes it will increase **subscriber growth** and **revenue**.

The company had 5 million monthly ad-tier users in May. It has been raising prices on its **ad-free** plans to **nudge** people **to** the cheaper plan.

(62 words)

☐ ad-supported　広告付きの　　　　　　の伸び
☐ tier　階層　　　　　　　　　☐ revenue　収益
☐ launch　開始する　　　　　　☐ ad-free　広告なしの
☐ giant　大手　　　　　　　　☐ nudge A to B　A を B へと促す
☐ subscriber growth　加入者数

Check

a year earlier　昨年

a year ago は「今日から1年前」で、a year earlier は「昨年」という意味です。

ネットフリックスの広告付きプラン、
1年で月間アクティブユーザー1,500万人に

　ネットフリックスは11月1日、広告付きプランの月間アクティブユーザーが1,500万人に達したと発表した。このストリーミングサービス大手（ネットフリックスのこと）は、以前より安価なプランを昨年開始した。同社は、このプランにより加入者数および収益増を見込んでいる。

　同社の広告付きプランの月間ユーザー数は5月に500万人となっていた。より安価なこのプランのユーザー増を狙って、広告なしプランの値上げを行っている。

読解のツボ

反復を表す現在完了進行形（have been -ing）

　これまでも何回か出てきた現在完了進行形です。動作の継続で「ずっと〜している（まだ続きそうだ）」や、継続していた動作の完了を表して「ついさっきまでずっと〜していた」がありました。2の文にある has been raising prices という現在完了進行形に注目しましょう。「値段を上げる」が継続しているということはつまり「**繰り返し値上げを行っている**（まだ今後も上がる可能性がある）」ということです。このように**現在完了進行形が動作の反復を表す**ことがあります。残りの部分を確認しましょう。to nudge people to the cheaper plan（人々をより安いプランに導くために）という to 不定詞部分で値上げの目的を示しています。

Japan to cut back on historic military spending

— Reuters, 2023.11.3

A collapse in the yen is forcing Japan to scale back a historic five-year, ¥43.5 trillion defense buildup plan aimed at helping to **deter** a Chinese **invasion** of Taiwan, according to eight people **familiar with** the matter.

Since the plan was **unveiled** in December, the yen has lost 10% of its value against the dollar, forcing Tokyo to reduce its ambitious defense **procurement** plan, the sources said.

(67 words)

- ☐ deter ～を防ぐ
- ☐ invasion 侵略
- ☐ familiar with ~ ～に詳しい
- ☐ unveil ～を発表する
- ☐ procurement 調達

Check

Japan (is) to cut back on (its) historic military spending

代名詞の its が省略されています。また、見出しの to 不定詞は実現が見込まれる未来を表します。日本の新聞の見出しでは、たとえば「FA 権行使せず残留へ」の「へ」に相当します。

日本の防衛力増強、円安で縮小か

　過度な円安で、日本は5年で43.5兆円という、中国による台湾有事の抑止を念頭に置いた歴史的な防衛力強化計画の縮小を迫られている。事情に詳しい関係者8人が明かした。

　昨年12月の計画発表以降、円は対ドルで10％下落し、日本政府は野心的な防衛力整備計画の縮小を迫られていると関係者が語った。

読解のツボ

動詞を名詞化した無生物主語に慣れる

　英字新聞には、「主語＋動詞」の文を一つの名詞句にし、それを主語にした文がよく出てきます。1では、The yen is collapsing. や The yen has collapsed. のように主語と動詞を用いた「文」でもいいのですが、名詞の collapse を使って、ひとまとまりの a collapse in the yen（円の暴落）としています。

　その後は、〈force O to do〉「O に〜を強いる」を使って現在直面していることを表しています。何に直面しているかというと、a historic five-year, ¥43.5 trillion defense buildup plan、つまり「5年で43.5兆円という歴史的な防衛力強化計画」です。さらに、この計画の狙いを過去分詞句の aimed at helping to deter a Chinese invasion of Taiwan で説明しています。〈aim at helping to do〉も英字新聞でよく見る表現で「〜することに照準を絞っている・狙いとしている」という意味で捉えます。

Osaka erupts in celebration after Tigers win Japan Series

——————— The Japan Times, 2023.11.6

Osaka erupted on the night of Nov. 5 as Hanshin Tigers fans celebrated the end of a 38-year **title drought** after their club concluded a thrilling Japan Series with a 7-1 **drubbing of** the Orix Buffaloes.

The city's Namba district was the **nexus** of the excitement, with the club's famously **boisterous** fans **taking to the streets** of the nightlife area to sing, dance and perhaps **take a dip** in the Dotonbori River.

(72 words)

- □ erupt　沸き返る
- □ title drought　優勝できない期間　★ drought は「欠乏」
- □ drubbing of ~　~を大敗させること
- □ nexus　中心地
- □ boisterous　騒がしい、陽気な
- □ take to the streets　街に繰り出す
- □ take a dip　ひと泳ぎする

> **Check**
>
> ### イメージを豊かにする比喩表現
>
> erupt は「火山が噴火する」という意味ですが、38 年ぶりの優勝に沸き立つ勢いを噴火に見立てています。

日本シリーズ38年ぶりの阪神優勝に沸く大阪

11月5日夜、阪神タイガースがオリックス・バファローズに7対1で大勝し、白熱の日本シリーズを決着させた後、優勝できなかった38年間の終わりを阪神タイガースファンが祝い、大阪は沸いた。

大阪市の難波地区は歓喜の中心地となり、熱狂的なことで知られるタイガースファンが夜の繁華街に繰り出して歌い踊り、なかには道頓堀川でひと泳ぎした人もいた。

読解のツボ

〈with ＋意味上の主語＋ -ing〉は 英字新聞に頻出

〈with ＋名詞＋～〉というパターンが出てきたら、付帯状況の with である可能性を考えます。名詞の後ろには現在分詞、過去分詞、形容詞、前置詞句などがきます。〈with ＋名詞＋ -ing〉の場合、名詞と現在分詞の間には主語と述語の関係が成り立ちます。

1の主節で「難波地区は歓喜が巻き起こる中心地だった」と述べられ、with 以下でどのような歓喜が巻き起こったのかを説明しています。情報を追加していく英字新聞の特徴です。the club's famously boisterous fans（熱狂的なことで知られるそのチームのファンたち）が taking to the streets（街に繰り出す）ということです。続く to 不定詞の to sing 以下でも情報が追加されています。「街に繰り出して歌い踊り、なかには道頓堀川でひと泳ぎした人もいた」と結果用法と捉えてよいでしょう。

University successfully breeds Japanese eels

———— Kyodo, 2023.11.3

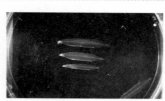

Kindai University in Japan recently became the first to successfully breed Japanese eels by **hatching fish larvae** from older **specimens farmed** in the facility. The discovery occurs amid a rapid decline in the species' numbers in **the wild** and a heightened interest in **conservation efforts**.

(45 words)

☐ hatch　〜をかえす、ふ化させる
☐ fish larvae　稚魚　★ larvae は larva の複数形
☐ specimen　個体、見本
☐ farm　〜を養殖する
☐ the wild　野生の状態
☐ conservation efforts　保護活動

> **Check**
>
> ### 前文の内容を言い換える名詞句
>
> 定冠詞の the は既出事項について言及していることを表します。the discovery は、前文の内容を1語の名詞で言い換えています。このような言い換えは英字新聞ではよく出てきます。

近畿大学がウナギの完全養殖に成功

　日本の近畿大学が施設で養殖された前世代のニホンウナギの個体が産んだ卵をかえすことにより、ニホンウナギの完全養殖に（大学として）初めて成功した。この発見は野生のニホンウナギの生息数が激減し、保全活動への関心が高まる中で起こった。

読解のツボ

to と動詞の原形の間に語句をはさむ分離不定詞

　１の骨子は Kindai University in Japan recently became ~ で「日本の近畿大学は最近～になった」です。何になったのかが the first to successfully breed ... で示されています。〈become the first to do〉は「最初に～したものになった」という意味です。ここでは to と動詞の原形 breed の間に副詞 successfully が挿入され、〈to ＋副詞＋動詞の原形〉という形で「～を繁殖することに成功した」となります。このような to 不定詞を「分離不定詞」と言います。ここで「成功した」と過去形で意味を捉えたのは、主節の動詞が became という過去形になっているためです。

　さらに、by 以下でどのような繁殖に成功したのかについて説明が行われています。by hatching fish larvae（稚魚をふ化させることで）とあり、どのような稚魚かについて from older specimens farmed in the facility と詳しく書かれています。older specimens（前世代の個体）を過去分詞句の farmed in the facility（施設内で養殖された）が修飾し「施設内で養殖された前世代の個体」となります。

Trump tangles with judge, complains of treatment at NY fraud trial

Reuters, 2023.11.7

Donald Trump complained of unfair treatment in **defiant** and **rambling testimony** on the witness stand at the civil fraud trial about his New York business Nov. 6, prompting the judge at one point to threaten to cut his testimony short.

₁ Under questioning about his company's **accounting practices**, the former U.S. president **aggravated** Judge Arthur Engoron, who warned Trump he might remove him from the witness stand if he didn't answer questions directly. (72 words)

☐ tangle with ~　～と口論する・争う
☐ fraud　詐欺行為
☐ defiant 反抗的な、けんか腰の
☐ rambling　とりとめのない
☐ testimony　証言
☐ accounting practices　会計実務
☐ aggravate　～を怒らせる

> Check
>
> Trump **tangled** with (the) judge **and complained** of (his) treatment at (his) NY fraud trial
>
> ---
>
> 冠詞は省略され、現在形は過去形、カンマは and を表します。

トランプ前大統領、判事と衝突し不満を述べる

　ドナルド・トランプ氏は 11 月 6 日、ニューヨーク州での自身の事業の不正利益をめぐる民事訴訟で証人席に立った。挑戦的でとりとめのない証言の中で不公平な扱いについて不満を述べ、判事が証言を打ち切ると警告する場面もあった。

　自身が経営する会社の会計実務に関して質問された前アメリカ大統領はアーサー・エンゴロン判事を怒らせ、判事はトランプ氏が質問に直接答えないなら証人席を退くよう求める可能性があると警告した。

定型表現を押さえておこう

　英字新聞に限らず、英語を読むときには頻出の定型表現が頭に入っていると英文の展開が予測できたり、意味の把握が容易になったりします。
ここでは重要な表現がいくつも出てきますので押さえておきましょう。under questioning about ～ は「～に関する調べに対し」という定型表現です。また、warn は〈warn＋人＋(that) s＋v ～〉で「**人に対して～と警告する**」、remove は〈remove A from B〉で「**B から A を取り除く、退席させる**」という定型表現を押さえておきたいところです。さらに、「固有名詞が出てきたら、その補足説明が行われる」という展開も頭に入っていれば、Judge Arthur Engoron, who warned Trump he might remove him from the witness stand ... も who 以下で判事がどうしたかのかが説明されているとわかります。

英文記事に頻出の表現

　本書に掲載した記事を例に、英文記事に頻出の表現・スタイルをまとめました。英字新聞や英語ニュースを読む際に参考にしてください。

1 〈人〉を説明する

役職名もしくはその人の特徴＋名前

U.N. Secretary-General Antonio Guterres：アントニオ・グテーレス国連事務総長

Two-way superstar Shohei Ohtani：投手と打者の二刀流スーパースター、大谷翔平選手

Shogi prodigy Sota Fujii：将棋の天才、藤井聡太氏

Meta chief executive and Facebook founder Mark Zuckerberg：
メタの CEO でフェイスブック創設者のマーク・ザッカーバーグ氏

名前, 役職もしくはその人の特徴

Kauan Okamoto, a 26-year-old Japanese Brazilian singer-songwriter：
日本とブラジルにルーツを持つ 26 歳のシンガーソングライター、岡本カウアンさん

名前, 関係代名詞節

Musk, who is ranked the second-richest person in the world by *Forbes*：
『フォーブス』誌によって世界で 2 番目に裕福な人物にランキングされているマスク氏

Sakamoto, who died on March 28 at the age of 71：
3月28日に71歳で亡くなった坂本さん

Hakamata, who had been in prison on death row for more than 30 years：
30年以上死刑囚として収監されていた袴田さん

a(n)＋形容詞＋名前

an emotional Andres Iniesta：感極まったアンドレス・イニエスタ選手

人などを表す語句＋動詞の-ing形

people going to the Acropolis of Athens：アテネのアクロポリスへ行く人々

2 情報を追加する

　英字新聞では、直前に述べたことについてさらに情報を追加・補足していくスタイルが見られます。最も頻度の高い表現は〈S＋V ~, 動詞の -ing 形〉です。また、直前の名詞を詳しく説明する表現もありますので、ここで簡単にまとめておきます。

S＋V ~, 動詞の-ing形

　動詞の -ing 形には前の S＋V（主節）の内容に加えて「そして（その結果）〜である」という情報を付け加える役割があります。これを「付帯状況の分詞構文」と呼ぶことがあります。

Tokyo Disneyland on April 15 celebrated 40 years

since first opening its doors to visitors, **marking** the milestone with colorful celebrations featuring Mickey Mouse and other iconic characters after weathering the COVID-19 pandemic.

　主節の「東京ディズニーランドは 4 月 15 日、開園から 40 周年を祝った」を受けて、その結果何が行われたのかが marking 以下で「新型コロナウイルス感染症のパンデミックを乗り越え、ミッキーマウスをはじめとする象徴的なキャラクターたちによる色鮮やかな式典で節目を記念した」と説明されています。分詞構文の部分をand marked としてもよいのですが、引き締まった文体にするために marking と分詞構文で表しています。

名詞＋関係代名詞節

The tech company Zoom, **whose** name became synonymous with remote work during the pandemic：
その名前がパンデミックの間にリモートワークを連想させるものとなった米テクノロジー企業 Zoom

Johnny & Associates, **which** shot groups like SMAP and Arashi to fame：
SMAP や嵐といったグループを一躍有名にしたジャニーズ事務所

名詞＋動詞の現在分詞・過去分詞

a Chinese American family **working** out their problems across multiple dimensions：
複数の次元にまたがって問題を解決していく中国系アメリカ人の家族

　working は family を修飾する現在分詞です。who works のように主格の関係代名詞を使うこともできます

が、文字数を少なくして引き締めた文体にするため現在分詞が用いられます。

> My Number national identification cards linked to
> health insurance data：
> 健康保険データをひも付けたマイナンバーカード

　which are linked ではなく、過去分詞の linked が直前の名詞を説明しています。

③ 状況を説明する

付帯状況のwith

　英字新聞でよく用いられる表現に〈with A ＋ B〉があります。これは付帯状況の with と呼ばれ、**「A がどんな状態（B）であるか」を描写するために使われます。** B には形容詞、副詞、現在分詞、過去分詞、前置詞句が使われますが、特に現在分詞が用いられることが多くあります。

> with 69.4% calling for stricter regulation on the
> development of artificial intelligence：
> 69.4％（の人たち）が人工知能の開発への規制強化を求めている
> with Takuya Nagase holding the last remaining title,
> Oza：
> 永瀬拓矢氏が、残る最後のタイトル、王座を保持している
> with the golden retriever at No. 3：
> ゴールデン・レトリバーが３位

4 to＋動詞の原形に注意して読む

　to 不定詞はさまざまな用法・意味があるため、多くの用例に出合う中で慣れていく必要があります。

①名詞を説明する

　〈名詞＋ to 不定詞〉で「〜するための名詞」という意味になります。

international standards **to prevent** the misuse of
emerging technologies：
新技術の悪用を防止するための国際基準

②「結果」や「目的」を表す

・結果

　〈S＋V ~ to 不定詞〉という語順で「S が V して、その結果〜した、〜になった」という「結果」を表す用法があります。

Komazawa University held on to its overnight lead **to
win** the Tokyo-Hakone collegiate ekiden road relay
Jan. 3：
駒澤大学は前日からのリードを守り、1月3日の東京箱根間往復大学駅伝競走で優勝した。

・目的（〜するために）

affirmative action policies long used **to raise** the
number of Black, Hispanic and other underrepresented
minority students：
アフリカ系やヒスパニック系、その他の人種的少数派の学生を増やすために長年用いられてきた積極的差別是正措置

さらに、to 不定詞を理解しながら読めるように意識しましょう。

Parliament on June 9 passed a bill **to revise** an immigration and refugee law **to enable** authorities **to deport** individuals who repeatedly apply for asylum status, despite objections from some opposition parties.

国会は 6 月 9 日、一部の野党からの反対をよそに、繰り返し難民申請する個人を当局が強制送還できるようにする入管難民法の改定法案を可決した。

　a bill to revise ... は a bill（法案）がどのようなものかを to revise 以下で説明し「入管難民法を改正する法案」となります。改正案がどのようなものであるかを to enable authorities to deport 以下で説明し「当局が個人を強制送還できるようにする」と説明しています。ここで〈enable 人 to do〉（人が〜できるようにする）のような to 不定詞を含む定型表現も理解しておきましょう。

Index

本書の語注と Check で取り上げた語句を掲載しています。

D

E

※本書の英文記事はThe Japan Times Alphaに
掲載されたものを一部抜粋して使用しています。

倉林秀男（くらばやし ひでお）

1976年生まれ。杏林大学外国語学部教授。博士（英語学）。専門は英語学、文体論。日本文体論学会代表理事（2018年〜2020年）、会長（2020年〜）、日本ヘミングウェイ協会評議員。著書（共著含む）に『ヘミングウェイで学ぶ英文法』『ヘミングウェイで学ぶ英文法 2』『オスカー・ワイルドで学ぶ英文法』（アスク）、『英文解釈のテオリア』（Z会）、『バッチリ身につく英語の学び方』（ちくまプリマー新書）など、共訳書に『セミコロン かくも控えめであまりにもやっかいな句読点』（左右社）がある。

世界の視点を読む
ニュース英語入門2023

2024年1月5日　初版発行
2024年1月20日　第2刷発行

解　　説	倉林秀男	
	© Hideo Kurabayashi, 2024	
発 行 者	伊藤秀樹	
発 行 所	株式会社ジャパンタイムズ出版	
	〒102-0082　東京都千代田区一番町2-2	
	一番町第二 TG ビル2F	
	ウェブサイト https://jtpublishing.co.jp/	
印 刷 所	日経印刷株式会社	

ISBN978-4-7890-1872-2
Printed in Japan

本書のご感想をお寄せください。
https://jtpublishing.co.jp/contact/comment/